Zomerland

Anneli Vermeer

Zomerland

met illustraties van Anjo Mutsaars

 Uitgeverij Christofoor, Zeist

Voor Misja

KINDERJURY 2001

Vermeer, Anneli

Zomerland / Anneli Vermeer; – Zeist: Christofoor. Ill.
ISBN 90 6238 717 9   NUGI 220   SBO 6
Trefw.: jeugdboeken / oorspronkelijk

Omslag en illustraties: Anjo Mutsaars
© Anneli Vermeer / Uitgeverij Christofoor, Zeist 2000

Inhoud

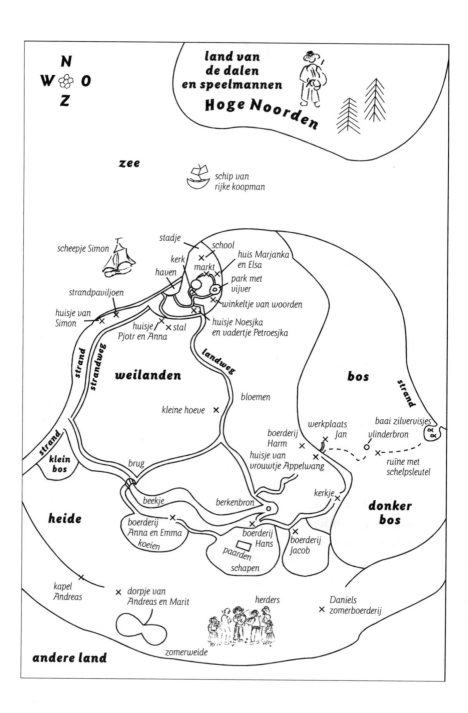

N
W O
Z

land van
de dalen
en speelmannen
Hoge Noorden

zee

schip van
rijke koopman

scheepje Simon

stadje

school

kerk

huis Marjanka
en Elsa

markt

haven

park met
vijver

strandpaviljoen

winkeltje van woorden

huisje van
Simon

huisje
Pjotr en Anna

stal

huisje Noesjka
en vadertje Petroesjka

strand

strandweg

landweg

weilanden

bos

strand

bloemen

kleine hoeve

werkplaats
Jan

baai zilvervisjes

boerderij
Harm

vlinderbron

strand

klein
bos

brug

huisje van
vrouwtje Appelwang

ruïne met
schelpsleutel

beekje

berkenbron

kerkje

donker
bos

heide

boerderij
Anna en Emma
koeien

boerderij
Hans

boerderij
Jacob

paarden

schapen

kapel
Andreas

dorpje van
Andreas en Marit

herders

Daniels
zomerboerderij

andere land

zomerweide

1 Langs het strand

Van zo'n dag kan er maar één zijn. Deze was uit het paradijs gevallen. Daar waren Noesjka en Warja het vast over eens. Ze zaten met Pjotr op de bok en reden door het slapende stadje. Het was nog heel vroeg, alles rook naar een vroege morgen, naar voorjaarsbloemen en bloesem. De bloemen waren nat van de dauw. Aan beide kanten van de weg stonden bloesembomen, van de markt tot de boulevard. Maar bij de zee stonden ze niet. 'Daar staat altijd te veel wind', zei Pjotr. Maar vandaag was het windstil.

Ze reden langs de zee waarover een fijne nevel lag. Je kon de golven niet zien, maar wel horen. Er was haast geen branding. Kleine kartelgolfjes knabbelden aan het strand. 'De zee komt op', zei Pjotr.

'Hoe kan je dat zien?' vroeg Warja. Maar Pjotr gaf geen antwoord. Eb en vloed kwamen door de maan, had de juffrouw verteld, maar hoe dat precies ging, wist ze niet meer. Hoe kon de maan nu aantrekkingskracht hebben? Noesjka stelde zich voor dat de maan grote zilveren netten had, die ze over de zee uitgooide. En daar trok de maan dan 's nachts aan. De ene nacht trok de maan haar netten naar de kant van de zee en de andere nacht naar de kant van het strand. De netten waren zo groot als de hemel en zo fijn als spinrag, want ze moesten onzichtbaar zijn. Zo was het natuurlijk niet echt, maar het was wel leuk het zo voor te stellen.

'Slaap je?' vroeg Warja en gaf Noesjka een duwtje. 'Kijk, daar is een vissersbootje.' Pjotr zag het ook. Hij hield de paarden in. Ze stonden stil en keken. Ver op de zee kon je het bootje zien. Het voer net op een plek waarop de zon één

van zijn stralenbundels richtte. Het was of het bootje in de
nevels dreef die langzaam oplosten. Als de zon opkwam kon
je het bootje nog even zien, maar als de zon wat hoger
stond, lukte dat niet meer, dan deed de zon pijn aan je ogen.
Nu zagen ze de boot beter. Hij dreef op de golven en zette
koers naar het strand. 'Mogen we even blijven kijken?' vroegen de meisjes. Pjotr leek al net zo nieuwsgierig als zij. Hij
wilde ook graag zien hoe het bootje aan land kwam en wie
de visser was. Hier had hij nog nooit een visser gezien. In
een wip waren Noesjka en Warja van de wagen gesprongen
en holden het duin af naar het strand. Hun schoenen hadden ze gauw uitgedaan. Op blote voeten kon je vlugger
lopen. Daar stonden ze aan de vloedlijn en wachtten op de
boot.

De visser roeide naar hen toe. 'Een goede vangst gehad?'
vroeg Pjotr, die naast de meisjes stond.

'Ja, dat wil wel, dat wil wel.'

Op de bodem van de boot glinsterden visjes die probeerden uit het net te komen. Ze spartelden en sprongen omhoog, maar ze konden er niet uit. De visjes hadden zilverkleurige buikjes. Ernaast stond een vat met garnalen. Ze waren grijs en dof en lagen heel stil. Er waren nog meer netten in de boot. Het rook er naar teer.

'Waar vang je die visjes?' vroeg Pjotr.

'Op zee', zei de visser en knikte eens naar de meisjes, 'ver weg op zee.'

'Ken je de hele zee?' vroeg Warja.

'Ja, alle wereldzeeën ken ik, van de Noord- tot de Zuidpool, van oost naar west.'

'Zo, zo', zei Pjotr. Het was duidelijk dat hij de visser niet geloofde.

'Kom, meisjes, we moeten weer verder, ik zou het haast vergeten.'

En voordat ze nog iets konden vragen, nam hij ze ieder bij de hand. Hij riep 'tot ziens' naar de visser en holde met de meisjes het duin op. In een ommezien zaten ze weer op de bok, Noesjka en Warja draaiden zich nog om en riepen 'tot ziens' naar de visser die terugzwaaide.

Hun voeten zaten onder het zand. Je moest even wachten tot ze droog waren, dan klopte je het er zo af. Nu kriebelde het alleen een beetje. 'Wie was dat?' vroegen de meisjes.

'Geen idee', zei Pjotr. 'De meeste vissers wonen aan de andere kant van de haven. Maar nu moeten we voortmaken.' Hij klakte met zijn tong en de paarden gingen in draf. Pjotr gebruikte nooit een zweep, hij praatte tegen zijn paarden en die begrepen alles wat hij zei.

Vandaag zouden ze naar de boerderij van de ouders van Anna gaan. Na hun bruiloft waren Pjotr en Anna in het huisje van Pjotr gaan wonen. Daar woonde hij al jaren. En Anna was gelukkig. Ze woonde weer buiten, aan de rand van de stad. In haar tuin had ze bloemen, bonen en kruiden gezaaid en kleine aardappeltjes gepoot. En 's middags zat ze tevreden voor de deur, keek over de velden en zag hoe de ondergaande zon de hemel kleurde. Ze hielp mama alleen nog maar 's ochtends. Mama had gezegd dat ze naar iemand zou uitkijken die het werk van Anna kon doen. 'Emma', had Anna gezegd, 'Emma wil vast wel.' Emma was het jongere zusje van Anna. Ze was ook op de bruiloft van Anna en Pjotr geweest. Ze had met de grotere jongens gedanst en met de kinderen verstoppertje gespeeld. Iedereen had haar aardig gevonden. En papa en mama en de meisjes waren blij dat Emma wilde komen. Alleen kleine Wladja begreep het nog niet. Voor hem was het een verrassing toen Emma kwam. Kleine Wladja was het broertje van Noesjka en Warja, hij was nu één jaar en deed alles wat niet mocht.

Emma was zo vlug als water, spichtig en kwikzilverig en ze had een smal gezicht vol sproeten. Vandaag gingen ze haar ophalen en zou ze bij Noesjka en Warja, kleine Wladja en papa en mama komen wonen en mama helpen, net zoals Anna dat de laatste jaren gedaan had. Mama had Emma gevraagd of ze geen heimwee zou hebben naar de boerderij. 'Nee', had ze toen heel beslist gezegd, 'want ik hou van de zee, en daar wil ik later wonen.' Dat had ze thuis al gezegd, toen ze als klein meisje eenmaal de zee had gezien. En in de stad zou ze bij de haven en aan het strand vaker naar de zee kunnen kijken, naar de boten die uit verre landen kwamen, naar de golven en de meeuwen.

Pjotr nam een andere weg dan die ze de vorige zomer hadden genomen toen ze naar de boerderij van boer Hans waren gegaan. Deze weg was korter en ging voor het grootste gedeelte langs de zee. Het werd al lekker warm. De wind aaide hun gezicht en woelde door hun haar. De mist was helemaal opgetrokken en de zee werd donkerder van kleur, alleen bij de branding was hij nog wit met schuimkoppen.

Ook al kwamen ze dichter bij de bergen, ze werden niet groter. Zo kon je niet zien of het nog ver was naar de boerderij. Maar het stadje was verdwenen, dus moesten ze al een aardig eind op weg zijn. Opeens hield Pjotr de paarden in. Maar bij de boerderij waren ze nog niet. 'Tijd om eens in de mand te kijken!' zei hij en haalde een mand te voorschijn met zoveel lekkers als alleen Anna kon maken.

Even later zaten ze aan de kant van de weg te eten. Je moest uitkijken waar je ging zitten, want in het zand waren overal distels en ze hadden geen deken bij zich.

'Kijk, zilverdistels', zei Warja en wees naar distels met blauwe bloemen.

'Vrouwtje Appelwang heeft ons daarover verteld in het sprookje van de regenboog', zei ze tegen Pjotr. Noesjka kende het verhaal, ze was er bij geweest toen Vrouwtje Appelwang het vorige zomer vertelde.

Na de broodjes, koek en koffie kwamen er rode appels uit de mand en voor ieder nog een zakje suikergoed. 'Die Anna', zei Pjotr, 'ik ben toch geen kind meer!'

'Maar wij wel', riep Noesjka vrolijk. Soms vond ze het best leuk om kind te zijn. Het was wel eens lastig, maar nu kwam het goed uit. Het suikergoed smolt op haar tong. Het waren kleine hartjes en ze smaakten net als bruidssuikers.

Pjotr was languit in het warme zand gaan liggen. Hij kauwde op een grasje en keek hoe hoog de meeuwen boven hem cirkelden. Hij neuriede zachtjes. Soms kon het leven bijzonder prettig zijn, bedacht hij tevreden. En als er geen hommel om zijn neus had gezoemd, was hij vast in slaap gevallen. 'Kom', zei hij tegen de meisjes, die naar schelpjes en vlinders zochten: 'We gaan.'

Pjotr schudde de slaap van zich af door te zingen: 'Hoog op de gele wagen.' De wagen was niet geel, maar het zingen hield hen allemaal wakker. De bloemen leken er mooier door en de vogels zongen mee. De zee lag nu achter hen en de wagen reed het land in. Langs de weg stonden berken met lichtgroene blaadjes. Af en toe zagen ze een boerderij. Als er kinderen waren, zwaaiden die en dan zwaaiden Noesjka en Warja terug. En daar was de boerderij van Anna. Voor de boerderij zat Emma op een koffer. 'Daar zijn ze', riep ze zo hard als ze kon en rende de wagen tegemoet.

2 Emma

Met Emma op de bok kon je onmogelijk in slaap vallen. Ze wilde alles weten van de stad, de haven, hoeveel mensen er woonden, wanneer het marktdag was, hoe duur nieuwe schoenen waren en nog veel meer. Ze vroeg meer dan ze alle drie bij elkaar wisten.

Het afscheid bij de boerderij was snel gegaan. Emma popelde zo om de grote stad te zien, dat ze geen tijd had om haar ouders en alle broertjes en zusjes een afscheidszoen te geven. Haar kleinste zusje had ze nog wel even op de arm genomen en toen die begon te huilen had ze gezegd: 'Emma komt vlug terug hoor.' Maar diep in haar hart hoopte ze van niet. Haar koffer was zeker wel tien keer gepakt en steeds had haar moeder gevraagd of ze wel alles bij zich had. Haar moeder had haar nog een mandje voor Anna meegegeven. Afscheid en mandjes, dat hoorde bij elkaar. Op het land gaven de mensen elkaar altijd wat lekkers van eigen oogst mee, zelfgemaakte jam, wat eitjes, of gewoon een krop sla.

Emma had nog een paar keer omgekeken. Daar stonden ze dan, haar vader en moeder en al haar broertjes en zusjes. En iedere keer als ze omkeek, zwaaiden ze allemaal. Gek, toen prikten haar ogen toch even. Maar na een bocht in de weg was alles uit het zicht verdwenen: de boerderij, de stallen met de hooiberg, de waterput en de kastanjeboom die voor het keukenraam stond.

De weg naar het nieuwe lag voor haar. Emma bedacht dat het toch wel fijn was dat Anna ook in de stad woonde. En Pjotr natuurlijk. Pjotr keek haar eens van opzij aan. 'Het zal best meevallen, hoor', zei hij. Hoe kon hij zien dat ze er toch tegenop zag? Niet eens om zo ver van huis te zijn, maar wel om te helpen in de huishouding. Alle boerenmeisjes deden dat, maar zelf was ze niet zo goed in schoonmaken. Ze was te ongedurig voor al dat gepoets. Maar ja, het hoorde erbij en ze kon in ieder geval af en toe naar zee. Ze vroeg Noesjka en Warja de oren van het hoofd. Of er veel boten kwamen, of de mensen op de boten andere talen spraken, of er ook vissersboten waren, welke vis ze het lekkerst vonden en of ze zelf wel eens op zee waren geweest.

Noesjka en Warja vertelden van de ontmoeting die ochtend met de onbekende visser. 'Zou hij echt alle wereldzeeën kennen?' vroeg Emma aan Pjotr.

'Ach, die zeelieden scheppen vaak op hoor, maar je weet maar nooit', antwoordde hij.

Ze waren allemaal wat moe en loom, en toen ze na nog een bocht in de weg de zee in het avondlicht zagen, mooi en geheimzinnig, zuchtte Emma opeens diep en zei: 'Ja, zo heb ik de zee vroeger gezien.' En toen staarde ze gelukkig over de golven naar de lichte horizon. Waar de zee en de lucht elkaar raakten, was een streep licht. Er voer een schip met roodbruine zeilen ver weg op zee. De wolken leken hier hoger dan boven het land, oneindig hoog was de hemel, oneindig ver ging de zee.

'Zijn hier ook zeemeerminnen?' vroeg ze vol verwachting aan Pjotr. Die lachte en schudde zijn hoofd. Nee, die bestonden alleen in verhalen, zei hij, er gingen zoveel verhalen over de zee.

Noesjka en Warja vonden het fijn dat Emma er was. Ze kon zo gelukkig kijken, dat je er zelf blij van werd. En ze hield ook van lezen, want ze kende het sprookje van de kleine zeemeermin. 'Moest je er ook bij huilen?' vroeg Warja. Nee, dat niet, maar ze had dat stuk van de heks wel heel griezelig gevonden.

In de verte konden ze het strandpaviljoen al zien liggen.

In het avondlicht leek het net een sprookjeskasteel dat boven de zee zweefde.

'Nu zijn we gauw in de stad', zei Pjotr, die vond dat de reis wel lang genoeg had geduurd. Maar nu ze langs de zee reden, wilde Emma dat er aan de reis nooit een einde kwam. In het avondlicht was het natte zand bij de branding roze en het droge zand diepgeel gekleurd. De wagen maakte weer een draai en tussen dezelfde bloesembomen als die morgen reden ze het stadje binnen.

'Het is net of we heel lang zijn weggeweest', zei Noesjka tegen Warja.

'En jullie zijn pas vanochtend vertrokken', zei Emma. Maar het leek veel langer geleden.

De huizen maakten lange schaduwen over de straat. De meisjes zwaaiden naar mensen die ze kenden en naar vriendinnetjes van school. Toen ze bij het huis van Noeskja en Warja stopten, was Emma opeens stil. Anna kwam hen al tegemoet. Ze had steeds even naar buiten gekeken of ze er al aan kwamen. Ze gaf Emma, die direct van de bok was gesprongen op iedere wang een zoen. Emma keek Anna blij aan, daarna keek ze naar het hoge huis. Op de begane grond was een klokkenwinkel. In grote gouden letters stond de naam Israel Mandelstam op de voorgevel. Naast de deur van de winkel was nog een deur en boven de winkel waren twee verdiepingen. De gevel van het huis was versierd met een grote krul. Bovenin zag Emma een klein rond raampje. Zou dat haar kamertje zijn?

Pjotr had de meisjes van de bok getild en de koffer van Emma gepakt. Daar kwamen papa en mama met kleine Wladja op de arm naar buiten om ze allemaal te begroeten. Kleine Wladja stak zijn dikke armpjes meteen naar Emma uit. Hij viel haast van mama's arm. Emma pakte hem aan en lachte. 'Emma', zei de kleine jongen tevreden. En met kleine Wladja op haar arm stapte Emma het huis binnen.

15

Vanaf dat eerste moment waren ze onafscheidelijk, Emma en kleine Wladja.

Om het huis in te komen moest je een trap op. De keuken lag achter de werkplaats van de klokkenmaker.

Het eten stond al klaar. Anna had het lievelingseten van Emma gemaakt. Wat stonden er veel borden op tafel en wat lag er veel bestek bij. Veel at Emma niet. Noesjka en Warja vertelden honderduit over de reis, maar het meest over de visser, die er zomaar was. Ze vertelden van de kleine zilveren visjes en de garnalen.

'Weet je het zeker van die visjes?' vroeg mama. 'Die heb ik hier nog nooit op de markt gezien.' Als je echt iets bijzonders had gezien, vroegen grote mensen altijd of je het zeker wist.

Na het eten zei moeder tegen Emma: 'Anna zal je je kamertje laten zien. Pjotr heeft je koffer er al neergezet.' Emma was haar koffer helemaal vergeten. En de afgelopen dagen had ze aan niets anders gedacht! Ze zou in het kamertje slapen waar Anna ook altijd had geslapen, het bovenste kamertje met het ronde raampje. Emma en Anna keken samen door het raampje naar buiten. Je kon ver over de stad kijken, maar veel lucht zag je niet, want er waren overal daken. Anna wees haar de kerktoren, het marktplein en ver weg de toppen van de bomen van het park. De zee kon je niet zien. En Emma vertelde van thuis, van de reis en de zee en van het strandpaviljoen dat wel het betoverde paleis op de bodem van de zee leek. 'Zo ken ik je weer', lachte Anna. Waarom Anna dat zei, begreep Emma niet. Toen liet Anna haar de grote mooie kast zien, de wastafel met stromend water en het bed met koperen spijltjes waar Anna's mooie lappendeken op lag. 'Die is voor jou', zei Anna, 'en nu ga ik naar huis, naar Pjotr.'

De lappendeken maakte het kamertje gezellig en warm. Emma zette haar koffer op het bed en legde haar spullen in de kast. Ze probeerde nette stapeltje te maken, maar ze vielen om. Ach, zo erg was dat ook niet. De kast was zo groot, dat alles er makkelijk in kon. Ze ging voor het raam staan en bedacht dat ze morgen met de meisjes naar het strand zou gaan. De eerste dag hoefde ze niet te werken. Emma wilde de zee graag van dichtbij zien en de golven met hun kartelrandjes, en ze wilde ook schelpen zoeken. En vooral die heerlijke zoute lucht opsnuiven en met blote voeten door de branding lopen. Wat waren de mensen hier aardig voor haar. Ze stapte in bed en luisterde naar de geluiden en probeerde ze thuis te brengen. Het was een warme zomeravond, het raampje stond open. Emma was, net als op de boerderij, vroeg naar bed gegaan. Ze hoorde voetstappen van mensen op de keien, ze praatten en soms hoorde ze gelach. Ze luisterde naar al het onbekende en opeens wist ze het zeker: dat wat ze steeds zacht op de achtergrond hoorde was de zee, de branding. Het was al een vertrouwd geluid. Ze draaide zich om en viel al snel in slaap.

3 De zee

De volgende dag liet Anna het huis aan Emma zien. Het leek wel of het huis steeds groter werd. Gelukkig was de keuken net zo ingericht als thuis op de boerderij, dat had Anna al jaren geleden zo gedaan. Zo kon ze alles makkelijk vinden. De keuken hier was wat kleiner, er waren minder mensen, en er was stromend water. En kleine Wladja was er. Die volgde Emma waarheen ze ook ging. Hij mocht die middag mee naar het strand, na zijn middagslaapje. Mama en Emma stopten hem eerder in bed dan anders, want zo was de middag wat langer. Hij viel direct in slaap met zijn houten paardje in zijn armen.

Pjotr bracht Emma, Noesjka, Warja en kleine Wladja naar het strand. Zo hard als hij kon holde de kleine jongen naar de zee. Hij zag de rollende schuimkoppen van de branding, het glinsterende zand en de rij witte schelpen aan de rand van de zee. Hij wilde de schelpen allemaal pakken. Maar algauw hadden de meisjes hem ingehaald en zo, tussen Emma en Noesjka in, liep hij naar de schelpen die pijn deden aan zijn voetjes. Hij ging zitten om ze op zijn gemak te bekijken. Warja gaf hem zijn emmertje en daar stopte hij zoveel schelpen in als hij maar dragen kon.

'Kom', zei Noesjka, 'we gaan wat lopen.'

Pjotr had ze in de buurt van het verlaten vissershutje gebracht en ze hoopten de visser weer te zien. Pjotr had gezegd dat die rare snuiter daar wel eens zou kunnen wonen.

Met kleine Wladja tussen hen in liepen Emma en Noesjka niet vlug. Warja holde voor hen uit. Aan de vloedlijn vond ze een mooi stukje hout. 'Daar kan Pjotr een scheepje van maken', zei ze. 'Vast', zei Emma.

Bij het vissershutje zagen ze dezelfde visser als gisteren zitten. Hij boette zijn netten en zong zacht voor zich uit. De wind droeg zijn lied naar de kinderen. Ze stonden stil en luisterden. Het was andere muziek dan die ze kenden. Het leek niet op het zingen van Pjotr of op de muziek van Jan de speelman. 'Het is een zeemanslied', zei Emma. Ja, dat moest het natuurlijk wel zijn. 'Je hoort er de golven in', zei ze. Ze stonden nog te luisteren toen de visser hen zag. Hij wuifde en ging door met zijn werk.

Ineens viel kleine Wladja in een kuil. De kinderen trokken hem er vlug uit en bedachten dat dit een goede plek was om te blijven. Er waren schelpen genoeg. Emma keek haar ogen uit. Voorzichtig liepen de kinderen even later hand in hand de zee in. 'Tot je knieën', had mama gezegd en tot de knieën van Wladja betekende tot de enkels van de meisjes. Toch was de zee zo ook heerlijk en spannend, want opeens kwam er een golf en nog één en nog één en allemaal kwamen ze onverwachts. Ze probeerden over de golven heen te springen en tilden kleine Wladja op bij een hoge golf, want een grote golf had hem zo omgegooid. Ineens herinnerden ze zich dat mama voor allemaal een koek had meegegeven. En toen merkten ze dat ze honger hadden.

Kleine Wladja was al een paar keer net niet omgevallen en toch waren zijn kleren kletsnat. De meisjes gingen met hem bij de kuil zitten, trokken zijn kleren uit en legden die te drogen. Het was lekker warm, ze zouden zo wel droog zijn. De koek smaakte heerlijk, ook al smaakte hij naar zand. 'Alles smaakt lekkerder bij zee', zuchtte Emma en staarde naar de einder. Vroeger dachten de mensen dat een schip bij de horizon van de aarde afviel en daarom hadden de schepen altijd dicht bij de kust gevaren.

Kleine Wladja stopte schelpjes in zijn emmertje en haalde ze er weer uit. Emma droomde weg terwijl ze over de golven keek. De zon toverde er allerlei kleuren in: blauw, groen en soms, als een golf brak in het zonlicht, zag je alle kleuren van de regenboog. 'De kleine zeemeermin heeft die mooie prins misschien op dit strand gevonden', zei Warja tegen Noesjka. En terwijl Emma naar de zee keek, raakten Noesjka en Warja niet uitgepraat over de kleine zeemeermin.

'Kijk', klonk opeens een diepe mannenstem vlakbij, 'ik kreeg zomaar bezoek van een bloot jongetje.' Wat schrokken ze en wat waren ze blij tegelijk, want daar stond kleine Wladja aan de hand van de onbekende visser. Wladja straalde. Toen niemand op hem lette keek was hij gaan kijken wat de visser deed. 'Is hij soms van jullie?' vroeg de visser plagerig. Hij had medelijden met de meisjes die er zo schuldbewust uitzagen. Ze hadden natuurlijk goed op hun kleine broertje moeten passen en die was de wereld gaan verkennen.

'We hadden het over de kleine zeemeermin en daarnet zat hij nog bij ons te spelen', zei Noesjka.

'Ik ken wel een vrolijker verhaal dan *De kleine zeemeermin*', zei de visser en kwam bij hen zitten. De meisjes trokken kleine Wladja zijn droge kleertjes aan en vroegen of de visser in dat hutje woonde. 'Ja', zei de visser, 'met een papegaai.'

'Is het niet klein?' vroeg Warja.

'Nee', vertelde de visser, die Simon heette, 'het is net groot genoeg. Ik kan er koffiezetten, en er is plaats genoeg om te slapen en m'n sokken te drogen, dus ik mag niet klagen.'

De meisjes bekeken hem eens goed. Hij had een prettige stem en hij zag er uit als de zee. Maar zijn ogen waren nog blauwer en zijn haar was witter dan het zand. Zijn huisje was net één-oogje, met één raam waaraan een luik klapperde. Het keek uit op de zee, naar Simon en de kinderen. Noesjka vroeg of Simon ook scheepjes in een fles maakte. Ja, dat deed hij, want hij had ook nog een tafel en een stoel en hij was net bezig met een heel groot schip, een driemaster. Hij was op de grote vaart geweest. Geen van de kinderen wilde bekennen dat ze niet wisten wat dat was. Nu was Simon een tijdje visser aan wal. 'Je moet ook eens rustig om je heen kunnen kijken', legde hij uit.

Kleine Wladja was bij Emma op schoot in slaap gevallen. Noesjka en Warja vroegen de visser alles wat ze maar konden bedenken. 'En dat vrolijke verhaal dan?' zei Emma ineens.

'Moeten jullie niet naar huis?' vroeg Simon. Maar Pjotr zou hen pas tegen zonsondergang halen en zover was het nog niet. 'Goed', zei Simon. Hij klopte zijn pijp uit tegen de achterkant van zijn schoen en begon.

4 Het bootje dat lachte

'Er was eens een bootje dat lachte. Was het wel een echt bootje? Eigenlijk niet. Het was een toverbootje. Het kon zichzelf groot of klein maken, net wat het wilde. Het kon over de zee dobberen, dan was het zo groot als een walnoot. Maar als de golven hoog waren, werd het groot en sterk. Dan had het wel zeven schoorstenen en kon het hard toeteren. De zeelui kenden het bootje wel, want als ze het zagen, dan lachte het naar hun.

Het toverbootje hield van vrolijke kleuren: knalblauw, diepgroen en helderrood en het meest nog hield het van goud. Daarvan toverde het zonnen, sterren en manen op de zeilen, als er ten minste genoeg plaats was. Want als het bootje heel klein was, kon er maar net een viooltje op het zeil, of een heel kleine sterretje.

Op een dag was er een vreselijke storm, zo'n storm waarvoor alle zeelieden bang zijn. Maar het bootje vond het heerlijk. Het voer met drie masten en toeterde met al zijn schoorstenen. Op alle zeilen, en dat waren er een boel, wapperden zonnen en manen van goud. Het bootje voer zo snel met al zijn toverkracht, dat het nauwelijks te zien was. Kon je het dan wel horen? Nee, want al die hoge golven, die in diepe dalen neerspatten, maakten een enorm kabaal. Maar opeens hoorde de toverboot zelf iets. Het leek net of hij mensen om hulp hoorde roepen. Nu kon de boot zijn toverkracht gebruiken! Het vloog over de schuimkoppen en zo gauw het maar kon was het bij zijn vrienden, de vissers. Waar was hun boot? Vlug gooide de toverboot zijn touwen uit, zodat de mannen ze konden grijpen. Kletsnat kwamen ze aan boord. Ze waren allemaal gered. En zo gauw de boot kon, zette hij koers naar de haven.

Toen de mensen in de haven de boot zagen, konden ze hun ogen nauwelijks geloven. Zo'n boot hadden ze nog nooit gezien. Maar tijd om daarover na te denken hadden ze niet. Ze herkenden de stem van hun vader, hun man of hun zoon.

Het hele vissersdorpje was uitgelopen om de terugkeer van de vissersboot af te wachten. Toen ze een heel ander schip zagen begrepen ze dat er wat met de oude boot gebeurd was. Ze waren blij dat iedereen gered was. En hun gezichten werden net zo rood als de zeilen van de toverboot en gloeiden als de gouden sterren, zonnen en manen.

Allemaal wilden ze de boot bedanken. Als dank wilden ze een schilderij van hem maken. Maar de boot was verlegen en een schilderij wilde hij helemaal niet. En omdat de zee ineens helemaal stil was geworden en zo vlak als een spiegel, kon het zich heel klein toveren. En zo zag niemand dat het bootje de haven uitvoer, want het was nu zo klein als een walnoot. Alleen de havenkat miauwde, maar daar lette niemand op.

Daarna kwam de toverboot niet meer in de havens, alleen op zee werd hij nog gezien. En aan ieder die zijn lach hoorde bracht hij geluk. Zeelieden, die hoopten vader te worden, vonden thuis hun vrouw met een kind op de arm. Vissers die de toverboot zagen hadden die dag, en soms zelfs de hele week, een goede vangst. Jonge vrouwen die de boot vanaf de kade of in de verte zagen, zagen ook hun diepste wensen in vervulling gaan: hun liefste kwam terug van de zee met de gouden ring of de ketting van hun dromen. En de kinderen die de toverboot hoorden of zagen hadden die nacht prachtige dromen.

De zeelieden die hun boot verloren hadden bouwden snel een nieuwe en hadden daarna goede vangsten. Het dorpje groeide snel uit tot een kleine stad en in herberg 'De gouden haring' werd aan iedere vreemdeling het verhaal verteld van het bootje dat lachte.'

Het verhaal was uit, de kinderen zuchtten diep en keken op. De zon was bijna onder en in de verte hoorden ze de wagen van Pjotr. Ze herkenden het geluid van verre. Kleine Wladja had door het hele verhaal heen geslapen, maar nu werd hij wakker. Hij keek verbaasd om zich heen en begreep eerst niet waar hij was. Maar toen hij echt wakker was keek hij of hij zijn emmertje nog zag. De wagen van Pjotr stopte op de strandweg. De meisjes zochten hun spulletjes bij elkaar. 'Het was een leuk verhaal, Simon, we komen gauw weer!'

5 Marktdag en andere dagen

Hoe was het mogelijk dat twee zusjes zo weinig op elkaar leken als Emma en Anna? Noesjka en Warja leken wel op elkaar, al dachten ze van niet. Ze hadden hetzelfde blonde, springerige haar dat nooit wilde wat zij wilden. Noesjka was dromerig en Warja klaarwakker, maar als ze allebei lachten was het of je twee keer hetzelfde meisje zag. Ze hadden allebei sproetjes en ze straalden zoveel vrolijks uit, dat je om hen moest lachen, of je wilde of niet.

Emma leek in niets op Anna. Anna was gezellig dik en rond, gauw verlegen en huiselijk. Bij Anna was de keuken altijd glanzend gepoetst. Dat lukte Emma niet. Anna had 's avonds rustig bij het theelichtje zitten breien, maar Emma las. Ze las alles wat ze te pakken kreeg. Het was nu gezellig op een andere manier. Emma was vrolijk, ze zong en praatte honderduit. Kleine Wladja was waar zij was en de meisjes waren blij. Het leek net of ze er een grote zus bij hadden gekregen.

Papa en mama vroegen of Emma niet liever verder wilde leren. 'Nee', zei ze, 'dan moet ik stil zitten en binnen blijven. En', voegde ze eraan toe, 'ik trouw toch met een zeeman.'

Anna bleef de ochtenden gewoon komen. Zij en Emma praatten over vroeger en de boerderij en zo voelde Emma zich direct thuis. Bij Israel Mandelstam stapte ze vaak even binnen. Vadertje Petroesjka noemden de meisjes hem. Hij schrok altijd van de wervelwind die Emma met zich meenam en probeerde haar waterval van woorden te begrijpen. Emma had groot ontzag voor de uurwerken die Israel repa-

25

reerde. Hij zei dat hij te oud was om nieuwe klokken te maken. Emma vond hem net Vadertje Tijd. Daar lachte hij om. 'De tijd', zei hij, 'heeft niemand in de hand.'

Als Noesjka en Warja vrij hadden, gingen ze met Emma en hun kleine broertje naar het park. In een zakdoek geknoopt kreeg Emma dan wat geld mee voor een ijsje. Dat aten ze, moe en warm van het spelen, op in het theepaviljoen. Wladja was een keer door de opening aan de achterkant van de stoel gevallen. Maar hij huilde niet. Hij had alleen zijn ijsje heel stevig vastgehouden. Dat ijsje zat onder het zand en het geld was op. Maar de mevrouw van het theepaviljoen was aardig en kleine Wladja mocht een nieuw ijsje uitzoeken. Toen wees hij op de grootste met drie kleuren: roze, groen en geel. En de drie meisjes hielpen dat ijsje op te eten.

Op marktdagen ging Emma met haar mandje inkopen doen. Ze ging als de school net uit was, dan kwam ze Noesjka en Warja ook tegen. Simon stond ook op de markt. Daar verkocht hij zijn vis. Maar waar hij die kleine zilverkleurige visjes ving, zei hij niet. Dat was zijn geheim. 'Op zee', zei hij steevast als iemand ernaar vroeg. Simon was een goede vriend van de kinderen geworden. Na de keer dat hij het verhaal had verteld van het bootje dat lachte, zochten ze hem altijd op de markt op. Misschien mochten ze gauw weer naar het strand, dan konden ze zijn papegaai zien, en de driemaster in de fles natuurlijk. Die vissershut had iets geheimzinnigs en de meisjes wilden daar graag eens een kijkje nemen.

Op een dag vroeg Noesjka aan Simon of hij niet wilde trouwen. Op marktdagen zag ze wel hoe hij fluitend knipoogde naar mooie meisjes en jonge vrouwen. Zelfs naar Anna, die daar met haar mandje liep en vis bij hem kwam kopen. 'Voor Pjotr', zei ze er altijd bij.

'Nee, trouwen is niets voor mij', zei Simon. 'Vrouwen praten de hele dag en ze willen alleen maar schoonmaken. Dat is nergens goed voor.'

'Dan moet je ook niet naar ze knipogen', zei Noesjka en Warja was het helemaal met haar eens. Ze hadden wel gezien hoe Simon er plezier in had de meisjes te laten blozen.

'Maar hoe verkoop ik dan mijn vis?' vroeg Simon verbaasd. 'Nee hoor, ze vinden het vast niet erg.'

Op de markt maakten de drie meisjes een hinkelbaan achter de fontein. Ze verzonnen steeds moeilijkere sprongen. Emma kon ze allemaal, maar Warja viel telkens, soms ook omdat ze moest lachen om het gekke liedje dat Emma had verzonnen:

Koning, keizer, schuttermajoor,
de dokter, meester en de pastoor.

En bij het beroep dat je viel, daar trouwde je mee. Toen Warja trouwde met de pastoor moest ze natuurlijk vreselijk lachen.

Op een dag gebeurde er iets ergs. Ze waren zo druk aan het hinkelen, dat ze niet gemerkt hadden dat een hond de mand met boodschappen omver had gegooid en erin snuffelde. Alles was vies. Om de beurt hadden ze op kleine Wladja gelet, maar ze waren de mand vergeten. Aan de andere kant van de fontein, waar ze speelden, stond Simon. Hij hoorde de meisjes roepen naar de hond en kwam kijken of hij kon helpen. Hij hielp ze alles schoon te maken. De worst hielden ze onder de fontein, het gescheurde papier van de kaas deden ze er zo goed mogelijk weer omheen en ze probeerden het brood schoon te krijgen. 'Gelukkig houdt een hond niet van vis', zei Simon. Het was een grapje, maar geen van de kinderen moest lachen.

Die dag was Emma zo stil, dat mama vroeg of ze ziek was

en zelfs papa merkte dat er iets met haar was. De drie meisjes hadden besloten niets te zeggen, want het eten was redelijk schoon geworden. Toen mama weer vroeg wat er was, begon Emma te huilen. Nu dacht mama dat er écht iets was, want Emma huilde eigenlijk nooit. Emma vertelde alles en mama werd helemaal niet boos. 'Weet je', zei ze, 'als jullie eens eerst gingen hinkelen en dan boodschappen deden?' Wat een opluchting! En zo speelden ze elke marktdag op het plein bij de fontein en kleine Wladja mocht mee. Soms mocht hij de mand dragen, maar alleen als die leeg was.

En Simon nam altijd iets moois voor ze mee, een schelp of een zee-egel. En één keer had hij voor allemaal een zeepaardje. Hij had ze gespaard, want hij wilde alle kinderen er een geven. De meisjes legden hun zeepaardje op de plank boven hun bed en mama bewaarde die van Wladja. Hij had het zeepaardje mee naar bed willen nemen, samen met zijn houten paardje. Maar mama had gezegd dat het zeepaardje liever in de mooie kast bij de piano sliep, in de kast met de glazen deuren. Ze zette het zo neer dat de kleine jongen hem kon zien. En Wladja liet het zeepaardje aan zijn houten paardje zien: 'Zeepaadje', zei hij en wees. Het was een moeilijk woord voor hem, maar hij kon het echt zeggen!

6 Het huisje van Anna

De volgende dag gingen Noesjka en Warja na school naar het huisje van Anna. Anna was blij toen ze hoorde dat de meisjes zouden komen. Ze had gauw een bos bloemen geplukt in het weiland dat grensde aan haar tuin. Ze had ze in de blauwe kan op de keukentafel gezet, op het geborduurde kleed. Op het lichtblauwe linnen had ze als klein meisje margrietjes geborduurd. Ze had het kleed altijd bewaard in vloeipapier, omdat ze het pas wilde gebruiken als ze een eigen huis had. Die droom had een lange tijd ver weg geleken, en nu lag het kleed zomaar op de tafel van haar eigen huis. In het boeket zaten ook margrieten en verder veel gele bloemen. Anna hield van geel. Het was de kleur van de zon, zei ze altijd. Toen de bloemen op tafel stonden ging ze gauw koekjes bakken.

Zo rook het naar thuis en vroeger, toen de meisjes haar huisje binnenstapten. Ze dronken pepermunthee uit de mooie kopjes van het trouwservies. Dat hadden Anna en Pjotr van papa en mama gekregen. Noesjka en Warja hadden geholpen met uitzoeken. Het was van zachtgeel porselein en er waren kleine veldboeketjes op geschilderd. Ook buiten zag je bloemen, overal waar je keek. Tegen de muur van het huisje bloeiden heerlijk geurende rozen, en ook de vlier bij het tuinhekje stond in bloei. Het huis van de meisjes had geen tuin en ze vonden dit huisje zo gezellig, dat ze er zo zouden willen wonen. 'Het is net een bloemenhuis', zei Noesjka tevreden. Ze keek naar Anna. Het was weer net als vroeger en toch was het anders. Want Anna was niet meer stil en verlegen. Je zou haar haast deftig noemen zoals ze zich in haar keuken bewoog, tussen het kristallen thee-lichtje en het kannetje met zilveren theelepeltjes. Het huis-je deed denken aan de kleine boerderij van Vrouwtje Appelwang, waar alle meubels met bloemen beschilderd waren. Maar hier waren de bloemen echt, evenals de krui-den die in bosjes aan de balken te drogen hingen. Ze kwa-men uit de kruidentuin bij de put. Anna vertelde hun de namen: salie, tijm en marjolein. 'Om de marjolein zie je de hele dag vlinders', vertelde ze. De meisjes snoven diep. Konden ze al die heerlijke geuren maar mee naar huis nemen.

Toen Warja klein was, had ze geuren in een doosje willen bewaren. Ze had het geprobeerd met rozenblaadjes. Dat lukte een beetje. En later had ze met Noesjka rozenwater gemaakt voor mama. Anna had hun daarbij geholpen. Stil keken ze om zich heen. Anna zei nooit veel, maar bij haar was dat niet erg.

Door de open ramen zagen ze hoe de zwaluwen hoog door de lichtblauwe lucht cirkelden. 'Het weer blijft mooi', zei Anna. Noesjka dacht aan vroeger. Anna had Noesjka leren lopen. Haar eerste stapjes had ze in de keuken gedaan op zoek naar koekjes. Zou Anna zich dat herinneren? Ze vond het een beetje gek om dat te vragen.

Warja keek naar het boeket in de blauwe kan. 'Wat mooi', zei ze en zag toen een boeketje waar een satijnen lint omheen zat dat al een klein beetje vergeeld was.

'Dat is mijn trouwboeket', zei Anna gelukkig. 'Pjotr is de dag van ons trouwen heel vroeg opgestaan om zelf lelietjes-van-dalen te plukken. Hij heeft de roosjes gekocht en de bloemenman heeft het boeketje gemaakt', zei ze trots. 'Het brengt geluk als je je bruidsboeket droogt en bewaart.'

'Anders had je het vast ook gedaan', zei Warja. Anna lach-te en gaf haar een knipoog.

'Mogen we het huis zien?' vroeg Warja. Ze zaten al zo lang

op visite en dat waren ze bij Anna niet gewend. Bovendien was ze nieuwsgierig geworden naar wat er achter de twee deuren aan weerszijden van de open haard was.

'Kom maar mee', zei Anna en stond op. Ze opende eerst de deur links van de haard, waar het trouwboeketje naast hing. Daarachter was de slaapkamer van Anna en Pjotr. Pjotr had het bed getimmerd. Er lag een witte gehaakte sprei op, die Anna's zusjes voor haar hadden gemaakt. De sprei maakte de kamer licht en kleurde goed hij het lichte hout. Voordat Pjotr trouwde had hij het oude hout van de vloer en de muren opgeschuurd en tot zijn verbazing was er heel licht hout te voorschijn gekomen. Hij had het gelakt en hoopte dat het zo licht zou blijven. Anna hield niet van donkere kamers. Het raam in de slaapkamer keek uit op de velden. Maar deze velden glooiden en er achter zagen ze in de verte de bergen. De bergen zagen er vanaf hier heel anders uit dan vanuit hun eigen kamertje. In het middaglicht waren ze geheimzinnig blauw. Daarna bekeken de meisjes de rozenkast. Op de lichtgele ondergrond waren kransen rozen geschilderd. 'Ik kreeg hem van mijn ouders op mijn trouwdag en zij hadden hem ook bij hun trouwen gekregen.'

Anna opende voorzichtig de deur van de andere kamer, alsof er iets bijzonders zou komen. In de kamer stond een ouderwetse wieg. 'Ook die is van thuis', zei Anna. 'Boerenmensen bewaren alles.' En met een lach voegde ze eraan toe: 'En daarom hebben ze best mooie spullen.' Naast de wieg stond een kleine tafel met een naaimandje. Over de stoel hing Anna's trouwjurk. Van de sluier had ze gordijntjes gemaakt. Dat was de gewoonte: de wieg werd bekleed met de bruidsjurk en van de sluier werden gordijntjes gemaakt. Dat hoorde zo. Verder stond er niet veel in het kleine kamertje. Door het open raam kon je de vlier, die dicht bij het raam stond, goed zien. Het leek of hij nieuwsgierig was naar wat er binnen gebeurde en met zijn takken naar binnen wilde kijken.

Ze gingen weer naar de keuken en Anna schonk nog wat pepermuntthee in. Het was heel anders om zo bij Anna op bezoek te zijn. Het was nieuw, maar ook vertrouwd.

'Dus volgende week gaan jullie naar de boerderij', zei Anna.

'Ga je niet mee?' vroeg Noesjka.

'Nee, nu woon ik hier', zei Anna tevreden, 'maar ik kom wel een paar dagen voor het oogstfeest. Dan kom ik helpen.'

Verbaasd keken Noesjka en Warja elkaar aan. Anna hoorde er toch bij! 'Emma gaat wel mee', zeiden ze alsof Anna daardoor van gedachten zou veranderen.

'Waarom wil Emma toch altijd naar zee?' vroeg Warja. Emma had zelf geen antwoord geweten op die vraag.

'Ach, Emma is nog jong. Ze vindt de boeren gierig, terwijl ze gewoon zuinig zijn en...'

'...ze trouwt toch met een zeeman', vulden de meisjes aan. Ze lachten en waren alweer vergeten hoe teleurgesteld ze net nog waren. Want al was Anna vorig jaar op de boerderij van haar eigen ouders geweest en niet bij Hans en Elske, ze hadden haar altijd kunnen opzoeken.

'Boerenmensen moeten wel zuinig zijn', ging Anna verder, 'omdat ze nooit weten hoe de oogst zal zijn of hoeveel hun fruit opbrengt en ook met dieren weet je nooit hoe het gaat. Er kunnen ziektes uitbreken of er kan brand komen. Maar daarom zijn ze nog niet gierig. Op het land geven we elkaar altijd wat mee.' Anna keek er trots bij. Dit klonk alsof ze een verhaal ging vertellen. Anna kwam van het land waar verhalen verteld werden, maar ze hadden haar nooit horen vertellen. 'Ga je een verhaal vertellen?' Noesjka keek Anna vragend aan. En Anna begon.

7 Boer Jacob

'Boer Jacob kennen jullie wel', begon Anna. De meisjes knikten. Vorige zomer had hij bij de oogst geholpen. En toen er water gehaald moest worden was hij er ook bij geweest en papa had naast hem gezeten op de bok. 'Jacob is zo sterk als een paard', ging Anna verder. 'En dat is hij altijd geweest. Je weet dat we op het land aan paarden bloemennamen geven.'

'Ereprijs en Jacob', zeiden Noesjka en Warja. Ze kenden de paarden van boer Jacob.

'Je begrijpt wel, waarom het sterkste paard Jacob heet', ging Anna verder.' Bij zo'n sterk paard paste geen bloemennaam. Noesjka en Warja begrepen dat best. Zelfs zonnebloem was te mooi geweest. 'Jacob was als kind al sterk. Hoewel zijn ouders zo arm waren dat Jacob vaak zonder eten naar bed ging, werd hij een boom van een kerel. Als er ergens hulp nodig was, vroegen ze hem. Hij kwam altijd. Toen hij volwassen was werd hij knecht en later had hij zijn eigen boerderij.'

'Hoe kwam hij aan een eigen boerderij, als hij zo arm was?' vroeg Noesjka.

'Zijn vrouw was enig kind en erfde de boerderij van haar ouders', zei Anna. 'De oude boer en boerin bleven in een klein huisje op het erf wonen. Dat gebeurde zo vroeger. Maar al ging het Jacob nog zo goed, hij bleef bang om arm te worden. Hij herinnerde zich maar al te goed hoe het was om met een lege maag te gaan slapen. Daarom spaarde hij en leefde hij zuiniger dan eigenlijk nodig was. Zijn vrouw begreep waarom hij zo was, maar toch vond zij het niet prettig toen zij hoorde dat haar man in de wijde omtrek 'de gierige boer' werd genoemd. Zelf was zij vrijgevig. Iedere bedelaar gaf zij een geldstuk. Bij haar klopte nooit iemand tevergeefs aan. Maar hierover sprak zij niet met haar man.

Op een dag, vlak voor de oogst, liep boer Jacob nog even over zijn land. De zon ging onder en hij zag hoe het goud van het graan en het goud van de zon in een warm licht versmolten. Zijn vrouw en hij hoefden komende winter geen honger te lijden. En toen zag hij iets wat hij niet begreep. Jacob had nooit van bloemen gehouden. Hij zag er het nut niet van in. Alle bloemen noemde hij onkruid, zelfs de mooie oude rozenstruiken die tegen de boerderij groeiden. Hij had een hekel aan de korenbloemen en klaprozen die in zijn velden bloeiden. Zelfs de kamille, waarvan je toch een geneeskrachtige drank kon maken, trok hij uit.

Maar nu zag hij dat er bovenop de heuvel in het gouden licht bloemen bloeiden. Het leken zonnebloemen, maar ze waren kleiner. Ze stonden op zijn vruchtbaarste stukje grond. Ze leken licht uit te stralen. Deze bloemen vond hij zelfs mooier dan het koren. Tot zijn eigen verbazing begon hij ze te plukken. Terwijl hij dat deed hoorde hij fijne stemmetjes een liedje zingen. Waar het vandaan kwam wist hij niet.

Bloemengoud
blij vertrouwd
wie om bloemen geeft
die in voorspoed leeft.

Het liedje, het licht, de bloemen, alles leek Jacob wonderlijk vertrouwd en toen hij een armvol bloemen had, ging hij naar huis. Hij hoopte dat hij onderweg niemand zou tegenkomen. Niemand zou geloven wat hij zag. En ook zijn vrouw geloofde haar ogen niet. Ze stond in de donkere keuken toen hij thuis kwam. Toen ze de bloemen in de armen van haar man zag, vloog ze hem om de hals en kuste hem. 'Hier heb ik zo naar verlangd', zei ze zachtjes. Ze nam de bloemen uit zijn handen. Onderin de kast vond ze een oude kristallen vaas. Daar zette ze de bloemen voorzichtig in. Lang geleden zette haar moeder daar rozen in. De bloemen gaven de kamer een lichte glans. En zelfs toen de bloemen allang verdord en weggegooid waren, bleef die gloed in de keuken en was het net of je de bloemen nog een beetje kon ruiken.

En Jacob was veranderd. Zijn angst voor armoede scheen verdwenen. Hij werd even vrijgevig als zijn vrouw. Misschien gaf hij nog wel meer dan haar aan de armen. Want zij had dat altijd zo moeten doen dat Jacob het niet merkte. En nooit meer werd Jacob 'de gierige boer' genoemd.'

Na het verhaal van Anna leek het boerenland achter de bergen dichterbij.

'Wat een mooi verhaal', zei Noesjka.

'Is het echt gebeurd?' vroeg Warja.

'Ach', zei Anna, 'Jacob is wel veranderd, maar dat doen mannen wel vaker als ze getrouwd zijn.' De middag was ongemerkt voorbijgegaan. Inmiddels was Pjotr binnengekomen. Ze hadden het geen van drieën gemerkt, zo verdiept waren ze in het verhaal.

'Zo', zei Pjotr. Hij nam Anna in zijn armen en lachte. 'Veranderen mannen als ze getrouwd zijn? Ik heb nog steeds honger met etenstijd hoor.' Dat het al zó laat was hadden ze niet gemerkt. Jammer, dat ze weer naar huis moesten.

'Tot morgen, tot gauw', riepen Warja en Noesjka, toen ze het paadje langs de rivier afliepen. Naast hun witte huisje keken Pjotr en Anna de meisjes na. Pjotr had zijn arm om Anna heen geslagen en Anna straalde. 'Gelukkig hoeft Pjotr niet te veranderen', zei Noesjka tegen Warja. En ze hinkel-

8 Een winkeltje van woorden

In het stadje waar Noesjka en Warja woonden, lag verscholen onder de lindebomen een stil plein. Daar had lang een winkel leeggestaan. Na school speelden de kinderen daar vaak winkeltje. Het was net echt. Kleine steentjes waren broodjes en koekjes, bladeren die ze op straat vonden groente. Rozenbottels waren appels of frambozen. Als er een vriendje of vriendinnetje langskwam kocht die altijd wat en, net als op de markt, kreeg die gul een handjevol toe. 'U bent veel te duur', riepen de kinderen soms. Dat werd ook vaak tegen de marktvrouwen gezegd. En Warja zei vaak: 'En dit is een lekkernij voor de kleine'. Dat had de marskramer altijd gezegd, en zij was de kleine geweest, want Noesjka ging toen al naar school.

Maar op een dag, toen ze na school weer naar het pleintje gingen, zagen ze dat er bij de lege winkel een verhuiswagen stond. Vreemde mannen sjouwden dozen uit de wagen. Ze zetten alles in de etalage van de winkel. Het zweet stond op hun voorhoofd toen zij enkele kisten naar binnen droegen. 'Wat zijn die zwaar', zeiden ze tegen een kleine man die vriendelijk glimlachend op de stoep stond. 'Het lijkt wel of er stenen in zitten!'

'Boeken, het zijn maar boeken', zei de kleine man verontschuldigend 'en er zijn er nog veel meer.'

Toen zag het meneertje de kinderen, Noesjka en Warja met hun vriendinnetjes Marjanka en Elsa. Twee blonde en twee donkere meisjes. 'Zijn jullie zusjes?' vroeg hij.

'Kunt u dat zien?' vroeg Elsa. Ze was de kleinste van alle vier, maar ze durfde het meest.

'Nee', zei de man en lachte, 'ik dacht het zomaar. Wij gaan hier wonen, heerlijk rustig. Wonen jullie hier in de buurt? Wij komen uit de stad, daar hadden we een winkel.'

'Met boeken?' vroeg Warja gauw. Ze wilde niet voor Elsa onderdoen.

'Hoe raad je het! Maar hier komt geen winkel, hier gaan we wonen. Rebecca!' riep hij tegen een kleine vrouw die net de winkel uitkwam: 'Kijk, buurkinderen.' Noesjka en Marjanka vertelden dat ze niet in de buurt woonden, maar alleen kwamen spelen. 'Zo af en toe', zei Marjanka nog. Hij hoefde niet te weten hoe leuk ze dat altijd vonden.

Wat jammer dat ze nu geen winkeltje konden spelen. En ergens anders winkeltje spelen ging niet. Dat was gewoon niet echt. Daarom gingen ze maar naar huis.

Toch gingen ze de volgende dag weer naar het pleintje. In de etalage van wat eerst hun winkel was, stonden meer boeken dan in de boekenkast op school. Heerlijk om naar al die boeken te kijken. Sommige hadden oude leren banden waarop gouden letters stonden, soms zelfs vreemde letters. Ineens kwam de meneer van gisteren naar buiten. 'Kom binnen, zijn jullie er al?' vroeg hij alsof hij hen verwachtte. 'De thee staat klaar.'

'Hoe wist u dat we zouden komen?' vroeg Elsa toen ze om de ronde tafel zaten.

'Ach, dat dacht ik zomaar', zei hij. Maar Rebecca zei: 'Kinderen zijn vaak nieuwsgierig, en daarom dachten we dat jullie misschien terugkwamen.' Ze zeiden niets meer en aten warme gemberkoekjes. Daarna mochten ze alle boeken die ze maar wilden inkijken, als ze maar eerst hun handen wasten.

'Op boeken moet je zuinig zijn, een boek is net een mens', zei Joshua. Zo heette de oude meneer uit de stad. De naam was lastig uit te spreken. Hij en zijn vrouw waren vrienden van Israël. De rare letters op sommige boeken waren

Hebreeuwse letters. Noesjka kon het woord voor leven en geluk 'chai' schrijven. 'Wel, wel', zei Joshua en liet Rebecca de tekens zien. Toen vertelde Noesjka dat zij vorig jaar een amulet met die tekens erop op het strand had gevonden. Die amulet had de vrouw van een rijke koopman uit Jeruzalem jaren geleden verloren. Het was een lang verhaal. De oude mensen luisterden aandachtig. Zouden ze die koopman en zijn vrouw ook kennen? Maar ze zeiden verder niets.

De kinderen mochten gewoon Rebecca en Joshua zeggen. Dat ging heel gemakkelijk, omdat die namen zo ongewoon waren. Algauw hadden ze ieder hun eigen plaatsje in het nieuwe winkelhuis. Noesjka las oude sprookjesboeken op een laag bankje tussen twee kasten in. Eerst keek ze of er mooie platen in stonden, dat maakte de sprookjes mooier. En als ze eenmaal verdiept was in een boek, hoorde of zag ze niets meer om zich heen. Alles wat ze las, zag ze voor zich en het was altijd te vroeg om naar huis te gaan. Emma haalde hen wel eens op, samen met Wladja. Dan hielden Noesjka en Warja kleine Wladja stevig vast, anders kon Emma geen boek uitzoeken. Ze mocht alle boeken lezen die ze wilde. Maar ze mocht er maar één tegelijk meenemen en daar deed ze altijd een schone theedoek omheen.

Warja hield van woordenboeken. Ze zocht de langste en de kortste woorden op en vergeleek ze met andere lange en korte woorden. En daarbij vergat zij weer alles. Marjanka las alles over ontdekkingsreizen. Ze zat te bibberen als ze las over Nanson die op de Noordpool liep en ze begreep niet hoe Livingstone door Afrika had kunnen trekken.

Joshua wist alles. Als je iets niet begreep, kon hij altijd helpen. Algauw kwamen er ook andere kinderen uit school. Het pleintje was lang niet rustig meer. Maar de oude mensen vonden alles best. Joshua hielp ook af en toe met taal. Hij wist meestal waar een moeilijk woord vandaan kwam. Dat was dan meestal uit een andere taal en dat had altijd

een geschiedenis. Op een dag vertelde hij weer over woorden, over het alfabet en het ontstaan van tekens. Elsa, die liever luisterde dan las, zei toen opeens: 'Joshua, nu heb je toch nog een winkeltje, niet van boeken maar van woorden'.

Joshua lachte: 'Een winkeltje van woorden, hoe kom je daarop?'

Elsa kreeg een kleur. 'Nu', zei ze, 'je helpt iedereen met woorden, je geeft ze mee, net als dingen uit een winkel. En de kinderen die je helpt zijn altijd blij omdat ze goede cijfers krijgen.'

'O, bedoel je dat zo', zei Joshua. 'Ja, het kan natuurlijk ook anders.' De andere meisjes keken op. De stem van Joshua klonk anders, als een vertelstem. Zou er een verhaal komen?

Net op dat moment kwam Emma met kleine Wladja binnen. Ze was vroeger dan anders. Wladja keek slaperig om zich heen. Emma kwam erbij zitten en al snel viel Wladja op haar schoot in slaap. Joshua begon te vertellen.

'Dit is een oud verhaal, dat mijn vader mij vroeger vertelde.' Noesjka en Warja keken elkaar aan. Het leek opeens of ze op de boerderij waren. Vorige zomer en ook in de winter met Kerstmis waren ze op de boerderij van boer Hans geweest en daar werden ook verhalen verteld. Ook bij andere boeren kon ineens iemand zijn stoel terugschuiven om een verhaal te vertellen. En op de één of andere manier hadden al die verhalen iets met elkaar te maken. Alle kinderen en ook Rebecca luisterden. Het leek wel of ook zij het verhaal voor het eerst hoorde.

9 Wat de zwaluwen vertellen

'Dit verhaal vertelde mijn vader me voor het slapengaan, toen ik klein was', zei Joshua. 'Het gaat over een nest zwaluwen. De jongen, die nog niet vliegen konden, bedelden iedere avond bij hun vader om een verhaal. Op een dag vertelde vader zwaluw het volgende: "In een kleine stad, in een land ver van hier, leefde eens een heel oude man. Hij had zijn hele leven in het stadje gewoond, of liever gezegd, aan de rand van het stadje. Als hij na een dag werken op zijn land op zijn stoep zat, zag hij de wereld aan zijn voeten liggen. Hij keek naar beneden en zag de vlakte, hij keek naar boven en zag de lucht. En hij was de eerste die zag dat de zwaluwen waren teruggekeerd. Hij hield van het laatste uurtje van de dag, als al het werk gedaan was en de aarde zich in de mooiste kleuren vertoonde. Als het mooi weer zou worden, leek de lucht van fluweel en kleurde van rood, naar zachtroze en goud. Werd het slecht weer, dan was de lucht grauwpaars en purper en vol wolkenflarden, die eruitzagen of ze verbrand waren.

Op een dag maakte de jonge schoolmeester, die net in het stadje was komen wonen, een praatje met hem. De jongeman merkte dat de oude man goed kon vertellen en veel had gezien wat de andere bewoners was ontgaan. De schoolmeester wilde een boek over de geschiedenis van de stad schrijven en vroeg de oude man of hij 's avonds bij hem wilde komen en hem over vroeger wilde vertellen. Over de tijd dat de mensen alles nog met de hand deden, de wegen smal en diep waren en er geen machines waren die de stilte verstoorden. De schoolmeester bood de oude man iedere keer als hij kwam een lekker kopje koffie aan. Meer kon hij niet geven.

En zo kwam het dat de oude man iedere avond in plaats van uit te rusten en uit te kijken over hemel en aarde, naar het huis van de schoolmeester liep, dat naast de school lag. Voor de school stond een lindeboom. In die tijd geurde de lindebloesem en de zwaluwen hadden hun nesten al gebouwd. Zij vlogen druk af en aan om hun jongen voedsel te kunnen geven. Daarbij schreven ze sierlijke cirkels in de lucht.

De oude man keek naar boven, naar zijn kleine vriendjes. Hij zuchtte en ging de woning van de schoolmeester binnen. Het was daar altijd kraakhelder, het rook er naar verse koffie en de jongeman zat al klaar aan zijn tafel om op te schrijven wat er vroeger zoal gebeurd was. Als hij schreef verbaasde de schoolmeester zich over het geheugen van de oude. Deze vertelde hoe lang geleden in tijden van oorlog met dreigend tromgeroffel legers over de vlakte aankwamen en hoe de stad in rep en roer was. Iedereen hielp met de verdediging van de stad en hij vertelde hoe het stadje, zo hoog gelegen, nooit door een vijand was ingenomen.

In tijden van vrede bleven de poorten in de zomer lang open om de hooiwagens en de karren met de oogst binnen te laten. De oude man had marskramers gezien en allerlei handwerklieden die op doorreis hun diensten aanboden. Er waren Italianen bij, die in één dag een stoeltje konden maken dat je leven lang meeging. Zij zongen bij het werk en knipoogden naar elk meisje dat langsliep. Behalve hun loon kregen ze een stevige maaltijd. Daarna kwam de mandoline uit hun rugzak. Er werd gespeeld, gezongen en gedanst en de meisjes van het stadje wilden wel dat de mensen uit de stad meer stoelen nodig hadden.

In de winter kwamen er wevers die hun weefgetouw op hun rug droegen. Ze zetten het getouw in de warme keukens in elkaar, kregen een stoof onder hun voeten en weefden dekens en stoffen van de wol die de huisvrouwen in de zomer hadden gesponnen.

De vrouw van de oude man had prachtig kunnen spinnen. Ze spon draad zo fijn als engelenhaar. Hij leefde al jaren alleen, maar iedere morgen als hij wakker werd, meende hij heel even dat zijn vrouw nog in leven was. Hij dacht het geluid van de ketel op het vuur te horen, maar ineens wist hij weer, dat zijn huisje nu iedere ochtend koud was. Maar dat hoefde de jonge schoolmeester niet te weten, die met zijn tong tussen zijn lippen met fraaie krulletters zijn verhaal opschreef.

Het was een verhaal over oorlog, strijd en vrede, van vergane gebruiken, van bouw en verval van de kleine stad die daar al eeuwen op de rots stond als een uitkijkpost voor vriend en vijand en ook een beetje voor ons, de zwaluwen."

"Hoe weet je dat allemaal, papa?" vroeg één van de jongen. De kleine zwaluwen waren nog nooit buiten het nest geweest en konden zich bij het verhaal maar weinig voorstellen. "Tja, ik vloog net die zomer vaak over het huis van de schoolmeester en hoorde de oude man vertellen", zei vader zwaluw en vervolgde: "Wat ik niet begreep was het volgende. Ik zag hoe die oude man iedere avond de weg naar school nam en iedere avond leek hij tien jaar ouder. Daarvoor leek hij niet ouder te worden. Jaar in jaar uit had hij hetzelfde werk gedaan, zijn haar was nauwelijks grijs te noemen, maar nu viel het sneeuwwit om zijn magere gezicht. De jonge man gunde de oude weinig rust. Hij moest vertellen, zodra hij binnenkwam. En pas als het donker was liet de schoolmeester hem gaan. Zo werd de oude man iedere dag ouder en ik maakte me zorgen", zei vader zwaluw. "Wij waren altijd zo goed door hem ontvangen en nu leek hij de dood nabij. Wij hadden vaak ons nest onder de dakrand van zijn huis gebouwd en samen met hem tijdens het broeden over de vlakte uitgekeken. Hij had altijd een vriendelijk woord voor alles wat leefde en als wij kwamen en moe neerstreken op zijn dak, zei hij vriendelijk: 'Zo, zijn jullie daar weer, rust maar eens lekker uit na die lange reis.' Hij had de gewoonte zo'n beetje in zichzelf te mompelen, maar dat 'Zo, zijn jullie daar weer', hoorde ik hem wel vaker zeggen tegen een bloemetje of plantje dat uit de grond kwam.

Er was nog iemand die zag dat de schoolmeester, die een ijdele man was, de oude man uitputte. Het was het meisje dat het huis van de schoolmeester aanveegde en schoonhield. "Heeft u gisteravond de oude man geen koffie gegeven? Dat heeft u deze week maar één keer gedaan. U moest zich schamen", zei ze. Ze stond daar, jong, mooi en boos en de schoolmeester schaamde zich, zo ijdel als hij was. Want hij wilde wel een meesterwerk schrijven, maar hij wilde ook dat het mooie meisje wat meer naar hem keek en eens bij hem kwam zitten. Maar nee, ze boende en schrobde en ging dan naar huis.

Mijn jongen waren bijna uitgevlogen en ik moest hard werken om voedsel voor ze te vangen, want ze hadden net als jullie een schreeuwende honger. Weer keek ik naar binnen en schrok. Ik zag dat de oude man zo moe was, dat hij op de bank was gaan liggen. Het was laat, de maan scheen op zijn witte gezicht en sneeuwwitte haren. Ik hoorde hem zeggen: "En dit is mijn hele verhaal." Toen was het of hij insliep. Ook de jonge schoolmeester was moe. Hij doopte nog eenmaal zijn pen in de inkt om zwierige lijnen onder het slot te zetten, legde zijn hoofd op zijn arm en sliep in.

Ineens gebeurde er iets wonderlijks. Alle letters vlogen als een zwerm kleine vogels uit het boek."

"Als zwaluwen?" vroegen de jongen.

"Ja, als heel kleine zwaluwen. De zwerm vloog naar buiten, de wijde warme zomernacht in, het was of je de woorden door elkaar hoorde kwetteren en daarin klonk de zach-

te stem van de oude man.

"Kijk", zei vader zwaluw ernstig, "de schoolmeester had de oude man geheel uitgeput en alleen maar aan zichzelf gedacht. En toen hij de volgende dag ontwaakte had zijn boek alleen witte vellen papier. Zijn boek was leeg en nooit geschreven, zo leek het.

Ook de oude man was weg. Op de bank lag een jonge man te slapen. Hij droeg kleren van vroeger en hij was knap en sterk. Het meisje dat zijn kamer binnenkwam keek naar de slapende man en wat de schoolmeester in al zijn ijver niet gelukt was, gebeurde nu: het meisje ging bij de slapende man zitten. Zij pakte zijn hand en keek vol liefde naar hem."

"Hoe kan de oude man ineens weer jong zijn?" vroegen de jongen.

"De oude man had zijn jeugd weer gevonden, toen zijn geschiedenis verteld was, ik weet ook niet precies hoe dat kan. Maar als jullie uitgevlogen zijn, zullen jullie hem zien, want wij wonen onder zijn dak. Je hoort zijn vrouw iedere morgen neuriën.

Toen we het jaar daarop in de lente weer terugkwamen

vonden we de slapende man klaarwakker in dit huisje. Hij zong en zijn jonge vrouw zong zachtjes mee, in haar armen wiegde ze een rozig kindje, dat zijn armpjes naar haar uitstrekte. Horen jullie niet hoe het huilt als jullie zelf niet zo schreeuwen?" vroeg vader zwaluw.

Dat was het verhaal van vader zwaluw.'

'Mooi, Joshua', zei Rebecca en keek hem vol liefde aan. 'Wat een prachtig verhaal', zei ze nog eens, toen hij verlegen lachte.

'Maar het kan niet', zei Elsa.

'Maar in een verhaal wel', zei Marjanka geschrokken.

'Het betekent iets', zei Emma toen. 'Het betekent dat je niet alles mag afpakken zonder iets terug te geven.'

'Ja', zei Joshua toen, 'dat kan het wel betekenen. Kom Emma, wil je nog een nieuw boek mee?'

's Avonds in bed praatten Noesjka en Warja altijd nog even na. Ze hadden samen een kamer sinds Wladja geboren was. 'Begrijp jij hoe dat kon?' vroeg Warja aan Noesjka.

'Nee', zei Noesjka en zag weer voor zich hoe al die lettertjes als zwaluwen uit het boek van de schoolmeester vlogen. Ze had de schoolmeester niet aardig gevonden, maar nu had ze ook medelijden met hem. 'Alles heeft twee kanten', zei papa vaak. Maar daarover dacht Noesjka niet meer na, want ze sliep al. Ze droomde van zwaluwen die in het kamertje van haar en Warja hun eerste nestje hadden gebouwd. Maar toen ze wakker werd, was er nergens een zwaluw te bekennen.

10 Zomer

Er was zoveel gebeurd, dat het al bijna vakantie was zonder dat Noesjka en Warja het hadden gemerkt. 'Volgende week gaan we naar de boerderij', zei mama op een ochtend tijdens het ontbijt.

'Volgende week al?' zeiden de meisjes bijna tegelijk.

'Ja, het is toch zomer. De zwaluwen zijn allang terug en hun jongen zijn al uitgevlogen. Ik heb ze bij het huisje van Anna en Pjotr gezien.'

'Mogen we naar Joshua en Rebecca om het ze te vertellen?' vroeg Warja. 'En we moeten ook naar Simon', bedacht ze hardop.

'En naar vadertje Petroesjka', zei Noesjka met volle mond.

'Ga eerst maar naar school', zei mama, 'het is al laat.'

Nu ze wisten dat het haast vakantie was, leek de schooldag nog langer dan anders. Niet dat er nooit iets leuks gebeurde, maar de schooldagen waren zo saai omdat alles zo langzaam ging. Noesjka was al drie keer begonnen de nieuwe blaadjes aan de kastanje op het schoolplein te tellen, toen eindelijk de bel ging. Even later liepen Noesjka en Warja naar het stille pleintje, naar hun winkeltje van woorden.

Toen ze om de ronde tafel bij Joshua en Rebecca zaten begon Warja meteen: 'We gaan weg.'

'Met vakantie', vulde Noesjka aan.

'Naar de boerderij', zei Warja. Ze keken er allebei ongelukkig bij.

De oude mensen moesten lachen. 'En wanneer gaan jullie dan?' vroegen ze.

'Over een week', zei Noesjka. Het was gek, zij en Warja hadden zoveel over de boerderij gepraat en zich er zo op verheugd de nieuwe dieren te zien en alle mensen. En nu het zo dichtbij was, wilden ze liever thuisblijven.

'Dat is altijd zo', zei Rebecca, die hun gedachten raadde, 'vlak voor een reis wil je meestal thuisblijven.' De meisjes knikten opgelucht; ze waren blij dat Rebecca dat begreep. Ze hadden het thuis niet willen zeggen. 'Weet je', ging Rebecca verder, 'wij woonden vroeger ook op een boerderij, in een land hier ver vandaan. Wij hadden het er heerlijk. Ik had kippen en ganzen en we verbouwden groente en fruit.' De meisjes keken verbaasd. Ze hadden gedacht dat Joshua en Rebecca altijd in een stad hadden gewoond.

'Zal ik je een verhaal vertellen dat speelt in het land waar ik vandaan kom? Het gaat over een jongetje dat iets ouder is dan jullie broertje.' Maar ze wachtte niet op antwoord en begon te vertellen.

11 Kleine Samuel

'Kleine Samuel was drie. Hij wist wat drie vingers waren. Hij kon de eerste drie sterren aanwijzen die zeiden dat de sabbat begon en de drie sterren die zeiden dat de sabbat voorbij was en de mensen weer mochten werken. Want zelfs de oogst lag stil met sabbat. Als de koningin van de sabbat haar intrede had gedaan en de tafel glansde met het witte kleed en het zilver, dan werd er niet meer gewerkt. Dat de oogst dan wachten moest wist Samuel, die zijn vader hielp. Zijn zusje Sara was geboren op de dag voor de sabbat. De vrouwen van het dorp hadden zijn moeder geholpen en voor haar en zijn zusje Sara gezorgd. Ze sliepen nu allebei. Vroeg in de ochtend van de volgende dag was Samuel met zijn vader op de kar weggereden naar het land. Vandaag moest de oogst worden binnengehaald. Zijn vader mende de paarden.

De paarden hadden het warm. Ze zwaaiden met hun staart naar de vliegen en schudden met hun hoofd, waarbij zij hun lippen optrokken en hun gele tanden lieten zien. De paarden wilden graag wat bloemen en vers gras uit de berm eten, maar als zij hun hoofden bogen naar de berm, trok de vader van Samuel aan de leidsels en sjokten de paarden weer verder. De weg was hol. Het licht viel schuin in de koele holte. De akker was nog ver.

Ineens brak één van de assen van de wagen. De vader van Samuel sprong van de bok en viel. Kleine Samuel zag zijn vader heel stil op de grond liggen. De paarden stonden roerloos en keken voor zich uit. De kleine jongen wist niet wat hij moest doen. Hij had altijd kunnen helpen, dan deed hij wat zijn vader zei. Maar nu moest hij zelf iets bedenken.

Er kwam een jongeman aanlopen. Samuel begreep niet waar hij ineens vandaan kwam. Hij keek vriendelijk naar Samuel, daarna naar de omgevallen wagen en naar de vader van de kleine jongen, die daar zo stil lag. Voorzichtig tilde de jongeman de kar op, die in zijn sterke handen zo licht leek als een veertje. Hij legde de man in de wagen en strekte het been van de vader van Samuel. Daarna haalde hij een doek te voorschijn en verbond het gewonde been. Even later mende de vreemdeling de paarden. De wagen reed verder of er niets gebeurd was.

De paarden schenen niets bijzonders te merken. Samuel keek even naar de vreemdeling en daarna zag hij de weg weer voor zich liggen met alle zomerbloemen. Ze reden in de groene schemering van de holle weg, maar alles was anders. De wagen deinde, het was alsof Samuel over een stille zee voer. Samuel zag dat de jongeman in weinig verschilde van de jongemannen in zijn dorp, maar toch was hij ook weer heel anders. Hij had dezelfde zwarte krullen, baard en werkkiel als de jonge boeren uit de streek. Maar daaroverheen droeg hij een wijde, donkere mantel. Toen ze bij het veld waren gekomen legde hij zijn mantel af.

Vandaag nog moest het veld gemaaid worden. De wagen hield stil in de schaduw van de bomen. Dit was de plaats waar Samuel altijd van de bok sprong. Zijn vader ving hem dan in zijn sterke armen op. Voordat hij het wist, had de jongeman hem al van de wagen getild. Zijn armen voelden even sterk en veilig als die van zijn vader. Samuel had nog even naar zijn vader gekeken en zag dat hij rustig sliep.

Samuel wilde op zijn lievelingsplekje gaan liggen, waar zijn vader hem altijd neerlegde, naast de bron, zodat het geborrel van het water hem als een wiegeliedje in slaap zong. Hij was natuurlijk al wel drie, maar als ze bij het veld aankwamen was hij toch altijd moe. Zo zag hij niet hoe de vreemdeling de zeis van zijn vader wette en daarna het gras met de zomerbloemen maaide alsof hij nooit anders gedaan had. En hij zong zachtjes voor zich uit. Het waren melodieën die Samuel kende van thuis. Hij zag het lieve gezicht van zijn moeder, voorovergebogen naar zijn kleine zusje, van wie hij alleen de rode gerimpelde knuistjes kon zien. Toen viel Samuel in een droomloze slaap.

De zon ging al bijna onder. De hele dag hadden vader en kind geslapen en de man had gemaaid terwijl hij zong. Het was haast donker, het was al bijna nacht, toen de jonge boer wakker werd, zich uitstrekte en opkeek. Hij begreep niet waar hij was, hoe laat het was en wie die sterke jongeman was, die op zijn land de laatste halmen op een schoof zette.

Maar iets maakte dat de vader van Samuel niets vroeg, ook al was alles nog zo vreemd. Het was of de jonge boer zelf weer een kind was, zoals kleine Samuel of Sara, en zich veilig en vertrouwd voelde. En daarom vroeg hij niets. De jonge vreemdeling leek hem ook bekend. Had hij niet als kind met hem gespeeld?

De jongeman knikte hem toe. 'We gaan naar huis', zei hij. Toen herinnerde de boer zich dat het de avond voor de sabbat was. Hij moest op tijd thuis zijn, voordat de drie sterren aan de hemel waren verschenen, voordat de koningin van de sabbat haar intrede had gedaan en al het werk stil lag. Omdat het zomer was, was dat wel later dan anders, maar toch maakte de vader van Samuel zich ongerust.

In de schemering reden ze terug. De jongeman mende, achterin de wagen was Samuel tegen zijn vader aangekropen. Hij keek naar boven. Zo zag de wereld er heel anders uit dan wanneer je op de bok zat. Met dezelfde wiegende gang als op de heenweg, reed de wagen over de holle weg vol kuilen en stenen. Boven hem weefden de takken en bladeren patronen van donkere draden. Van de bomen zag je de stammen niet, je zag alleen de takken, de bladeren en de kruinen. De vogels zongen en boven alles uit hoorde je de nachtegaal, de kleine vogel die je nooit zag, zo grauw waren zijn veren.

De jonge boer dacht aan zijn vrouw en zijn dochtertje. Zouden de vrouwen uit het dorp voor het sabbatsmaal gezorgd hebben? Hij was te laat om te helpen. Bij de kleine boerderij zag de jonge boer dat er licht door het raam viel. Binnen was de koningin van de sabbat al gekomen, zij die aan alles glans verleende. Toen de kleine Samuel wakker werd, zag hij hoe hoog boven hem in de warme avondschemer één voor één drie sterren aan de hemel verschenen. Het was sabbat en ze waren nog buiten, de oogst was nog niet binnen.

Toen herinnerde hij zich, hoe de jonge vreemdeling het gras gemaaid had. Wie anders had het op schoven gezet? De vader van Samuel had hem naar oud gebruik willen uitnodigen om aan te zitten aan het maal dat, hoe eenvoudig ook, geheiligd was door de oude gebruiken. Maar de jonge vreemdeling was nergens meer te bekennen.

Met zijn zoontje op zijn arm stapte de jonge boer naar binnen. Het witte kleed lag al op tafel. Het zilveren zoutvat glansde en daar stond de oude karaf met de barst erin vol wijn die de rijke boer gebracht had voor de geboorte van de kleine Sara. Alles leek nieuw en glanzend, en toen hij beter keek zag de jonge boer dat de karaf heel was en glansde, evenals het zoutvat dat eerst zo zwart was van ouderdom. Maar nu straalde het op tafel, naast het gevlochten brood, dat net als kleine Sara in een doek gewikkeld was.

Zijn vrouw lachte naar hem. Kleine Sara sliep, je zag al iets van haar gezichtje en een glimlach leek om haar kleine mond te spelen.

Hoe alles die dag precies gegaan was wisten kleine Samuel en zijn vader niet. Het was geen droom geweest, want de volgende dag zagen ze op het veld hoe prachtig het gras gemaaid was, hoe gelijkmatig de paden tussen de schoven waren, hoe de akker geurde en er bloemen bloeiden die op andere velden allang uitgebloeid waren.

Later, toen Samuel ouder was en zijn vader echt kon helpen, dacht hij nog vaak aan de vreemdeling. Die wonderbaarlijke dag kwam in zijn herinnering boven en vermengde zich met de vreugde om het kleine zusje en de genezing van zijn vader.

De vreemdeling was gekomen en gegaan zonder een woord te zeggen. Maar soms kwamen de melodieën die hij in zijn slaap had gehoord weer bij Samuel boven. Soms dacht hij de vreemdeling in de verte te zien. Ook zijn vader meende soms dat hij de wonderlijke jongeman zag. Maar nee, het was toch iets anders. Ze veegden dan het zweet uit de ogen en reden verder.

Sinds die bijzondere dag was de oogst altijd op tijd binnen en glansde de tafel voordat de drie sterren van de sabbat aan de donkere hemel van de nacht verschenen.'

Het verhaal was uit. Het was of de kinderen zelf op de kar gezeten hadden, ze waren rozig van de zomerzon en slaperig van het deinen van de wagen.

'Wat is de sabbat?' vroeg Warja.

'Dat is de dag van inkeer en rust', antwoordde Rebecca. 'Voor één dag geven de mensen de aarde terug aan God. Ze werken niet, het is net als een zondag, maar de sabbat is op zaterdag. En die dag wordt voorgesteld als een koningin die zelfs in de armste huisjes komt. Ze is helemaal in het wit gekleed en die avond dekken we de tafel met het mooie witte kleed. We halen wijn en zetten het zilveren zoutvat op tafel. Dan komt het feestmaal. De vrouwen maken speciale gerechten en bakken speciaal brood.' Was de winkel van vadertje Petroesjka daarom op zaterdag gesloten? Zou hij ook sabbat vieren? Ze zouden het hem vragen.

'En hoe ging het met Sara?' vroeg Noesjka.

'Die werd een groot meisje, net als jij', zei Rebecca. Noesjka dacht aan het glanzende zilver dat op de boerderij met kerstmis op tafel lag. Zilver en feesten hoorden zeker bij elkaar, net als afscheid en mandjes. En op dat moment kwam Joshua met drie pakjes. Hun namen stonden erop en er was er ook één voor Emma. 'Dat is voor jullie zomervakantie', zei Joshua met een lach. Dat er boeken in zaten begrepen ze meteen. Maar wat voor boeken? 'Maak ze thuis maar open, langer kun je vast niet wachten.' Hij wist dus ook dat de school nog maar een paar dagen zou duren en het gauw vakantie was. De andere kinderen die hij hielp met spellen en schrijven hadden de laatste tijd over niets anders gepraat.

Noesjka en Warja hadden nog zoveel over het verhaal van Samuel willen weten, maar het was tijd om naar huis te gaan. En binnenkort zouden zij ook in een land zijn waar de oogst het belangrijkst was. En niet alleen de oogst, ook het water en de bronnen. Waar je ook woonde, het werk op de boerderij was altijd hetzelfde, legde Rebecca uit. 'Dit verhaal had zich ook hier kunnen afspelen. Kom gezond weer terug, blijf gezond.'

Toen Noesjka en Warja het pleintje afliepen draaiden ze zich zoveel mogelijk om en zwaaiden. Ze lachten blij en riepen opeens geschrokken: 'En nog heel erg bedankt!' Ze hadden zoveel willen vragen, dat ze helemaal vergeten waren te bedanken. Nu hoefden ze alleen nog naar Simon en vadertje Petroesjka om afscheid te nemen. Gelukkig hadden ze nog een week.

12 De reis

De volgende dag was het zaterdag. Al vroeg in de morgen
waren Noesjka en Warja bij de werkplaats van Vadertje
Petroesjka. De winkel was dicht, zoals altijd op zaterdag.
Ook de werkplaats was gesloten. Vadertje Petroesjka was
er anders altijd geweest. Waar zou hij zijn? Vierde hij sabbat? Of zou hij bij Joshua en Rebecca zijn?

'We moeten ook tegen Simon zeggen dat we weggaan. We
mogen nu zelf toch wel naar het strand lopen?' vroeg ze aan
Noesjka.

'Ja, natuurlijk, maar we moeten het wel zeggen, en als
Emma meegaat, vindt mama het vast goed', zei Noesjka.

'Als Emma wil', zei Warja lachend. Iedereen wist dat
Emma het liefst van alle drie met Simon praatte.

Kleine Wladja bleef thuis en Emma ging mee. Eerst had
Wladja gehuild, maar toen had mama hem op de arm genomen en gezegd: 'Kom, we gaan naar je zeepaardje kijken.'

'Zeepaadje', zei Wladja tevreden en ging op zoek naar zijn
emmertje. Hij wilde nog steeds mee naar zee.

'Kom, we gaan naar Anna', zei mama toen. Ze zette hem
in de keuken in zijn kinderstoel en daar, bij een stapel koekjes, vergat hij dat de meisjes hem dit keer niet meenamen.

Zo vroeg in de morgen was het nog koud, maar je kon aan
de lucht voelen dat het warm zou worden. Onderweg praatten de meisjes over de boerderij. Het veulentje Noesjka zou
een echt paard geworden zijn en het kleine schaap Warja
had vast een prachtige dikke vacht gekregen. Emma zei niet
veel. Ze voelde iets dat op heimwee leek, maar voor geen
goud zou ze dat toegeven. Hoe zou ze tegen Simon zeggen

dat ze de hele zomer weg was? En hoe lang duurde de zomer?

Toen ze bij Simons kleine huisje kwamen, vonden ze de deur gesloten. Het luik klapperde in de wind. De boot was weg en het was stil romd het dichte huisje. Simon hoorde je altijd al van verre zingen en nu hoorde je alleen zachtjes de branding. Het was nog maar net eb. Ze hadden over een smalle strook hard zand moeten lopen en bij eb is de zee stiller dan bij vloed. Al die dingen hadden ze van Simon geleerd. 'Kom', zei Emma, 'we eten de broodjes uit de mand en daarna gaan we terug. Misschien vinden we iets moois tussen de schelpen.' Ze had nog even op haar tenen bij het huisje naar binnen gekeken en lachend gezegd: 'Zelfs ik zou hier wel willen schoonmaken.' Maar de meisjes geloofden haar niet.

'Hij komt wel weer', zei Noesjka. Ze deed net of ze niet zag dat er tranen in de ogen van Emma stonden. Warja en Noesjka begonnen het lied van Simon te zingen:

Zeelieden komen
zeelieden gaan
bij volle en bij
halve maan.

Als de aarde maar genoeg aantrekkingskracht heeft, dacht Noesjka. Ze zei het gelukkig nog net niet. Het had Emma vast niet vrolijker gemaakt.

Terwijl ze terugliepen langs de vloedlijn zochten ze naar iets bijzonders, een zee-egel of een muntje of een mooi stuk hout. En daar zag Emma opeens een takje. Het lag tussen de schelpen op de vloedlijn. Het leek een takje van een boom, maar het was hard en voelde aan als steen. 'We zullen papa vragen wat het is.' Papa wist alles. En als hij het niet wist, dan wist hij waar hij het moest opzoeken. In een encyclopedie stond alles. Zo'n encyclopedie was een wens van Warja.

Thuis lieten ze het takje aan papa zien. Ze waren zijn kamer binnengestormd. 'Het is een takje koraal', zei papa geïnteresseerd. 'Wees er maar zuinig op, want het is zeldzaam.' Dit was dus koraal. Maar het zag er heel gewoon uit. 'Alleen bloedkoraal is rood', zei papa. 'Er zijn koraalriffen met takjes zoals deze en soms slaat een storm er een stukje af en dan brengt de golfstroom het hier naar toe.' Noesjka en Warja waren blij dat de golfstroom het hier gebracht had en dat Emma het gevonden had. Dan dacht ze even aan iets anders dan aan Simon. Maar dat was niet zo. Toen Emma alleen op haar kamertje was en het stukje koraal voorzichtig op de plank boven haar bed legde naast de kleine zwarte bijbel, ging Emma op haar bed zitten. Het was net als bij de kleine zeemeermin, die door bossen van koraal zwom. Die had niet kunnen praten omdat ze geen tong meer had. En zij kon ook niet zomaar zeggen dat ze Simon aardig vond. Simon kon dat wel, maar meisjes mochten dat niet. Het was niet eerlijk. 'Heb je je tong verloren?' zei papa aan tafel voor de grap tegen Emma.

'Papa', zeiden de meisjes verwijtend. Hij mocht dan wel weten waar alles stond in de boeken, van een meisje als Emma begreep hij niet veel. Maar mama begreep heel goed hoe het was om verliefd te zijn en de meisjes hadden het ook aan Anna kunnen zien. Je moest er gewoon niet te veel op letten, maar over ging het niet.

De week voor ze zouden vertrekken was snel voorbij. Iedere dag hadden ze geholpen met inpakken. Na vorig jaar begrepen ze dat zo ongeveer alles meemoest. Ook de box. Mama was bang dat Wladja in de put zou vallen, in de beek of van de hooizolder. 'Anders bouwen we toch gewoon een stal voor hem', had papa plagend gezegd. 'Hij is net een klein geitje.' Noesjka en Warja dachten terug aan de dag aan het strand, toen ze voor het eerst Simon hadden gezien en Wladja was weggelopen. Ze namen zich voor goed op kleine Wladja te passen als dat moest.

Dit jaar ging Anna dus niet mee. Ze had er ook niet bij gekund op de wagen van Pjotr. Nu zat Emma op de bok en Noesjka en Warja mochten om de beurt naast haar zitten. Pjotr vroeg wel drie keer of Emma niet stil kon zitten. Ze wilde alles zien. De anderen wisten al wat er zou komen.

'Straks komen de berkenbossen, dan de dennen, eerst de kleine en dan de grote boerderijen', zei mama.

'En op het laatst komen de bergen', zei Noesjka. Kleine Wladja zat bij mama op schoot en klapte in zijn handjes als hij iets bijzonders zag. Wat hij bedoelde begrepen ze niet altijd.

'Daar is de picknickplaats', zei Pjotr opeens. Ze hadden allemaal honger gekregen, want ze waren met de zon opgestaan.

Toen mama het kleed op de grond had uitgespreid en Emma en de meisjes het eten hadden uitgestald, zei papa voldaan: 'Ja, zo hoort het op reis.'

'Let jij even op kleine Wladja?' zei mama. Ze was met het eten bezig. Papa nam kleine Wladja bij de hand en ging kijken wat er hier, ver weg van de stad, te zien viel. Met Wladja kwam je nooit ver. Hij zag zo veel: torretjes, mooie steentjes en als hij iets erg mooi vond ging hij er rustig bij zitten. Zo was het niet moeilijk om op hem te passen. En toch was hij opeens weg. Papa had alleen maar gekeken waar de bergen lagen en bedacht hoe ver het nog zou zijn naar de Rozenhoeve en toen was kleine Wladja er niet meer. Als hij wilde, kon kleine Wladja al snel lopen en dat deed hij altijd als je het niet verwachtte.

'Wladja!' riep papa geschrokken. Zijn hart leek even stil te staan. Ze waren vlak bij een kabbelende beek. Daar zou hij toch niet in gevallen zijn?

'Kom je eten?' riep mama of er niets aan de hand was. En daar zag papa kleine Wladja. Hij was gewoon teruggelopen toen hij al dat lekkere eten zag en papa had langer naar de bergen gekeken dan hij dacht.

'Wladja was kwijt', zei papa verschrikt tegen mama. 'Maar hij is er toch', zei mama. En toen begreep ze wat er gebeurd was. Ze zei: 'Een stalletje is niets, maar een paaltje met een heel lang touw misschien wel.'

Na het eten, toen ze verder reden, viel kleine Wladja in slaap. Het was nu heel erg warm. Mama legde kleine Wladja zo neer, dat de zon niet in zijn gezicht scheen. En Noesjka keek verlangend naar de bergen.

Toen Noesjka iets tegen Warja wilde zeggen, zag ze dat Warja ook sliep. Ze was op de bok tegen Emma in slaap gevallen. Nu moest Emma wel stil zitten. Het was zo warm dat de paarden langzaam liepen en Pjotr leek het niet eens te merken. Af en toe reden ze in de schaduw, eerst van berkenbomen, die schaduw was licht en beweeglijk. Daarna reden ze door een stukje dennenbos. Dat was koeler. Het rook er naar hars. Allemaal waren ze rozig. Papa doezelde weg en ook mama viel langzaam in slaap. Alleen Noesjka, Emma, Pjotr en de paarden waren wakker. Noesjka droomde zo'n beetje voor zich uit, maar wakker was ze wel. Ze was blij dat ze Vadertje Petroesjka nog hadden verteld over de reis. Ze was deze week iedere dag even zijn winkel in gelopen. Hij was die zaterdag bij Joshua en Rebecca geweest. Het was daar prettig had hij gezegd, net als vroeger. Hoe het vroeger was, had Noesjka niet durven vragen. Als Vadertje Petroesjka over vroeger praatte, keek hij altijd verdrietig.

Toen ze vorige week in de werkplaats was bedacht Noesjka dat ze niet als andere jaren iedere middag bij Vadertje Petroesjka was geweest. Daarom had ze dat deze week goed willen maken. Op een dag was ze de werkplaats binnengestapt en had ze kleine Wladja op haar oude plekje op de grond zien zitten met allerlei onderdelen van een klok om hem heen. 'Kijk, nu maakt hij een klok', zei Vadertje Petroesjka. Ze lachten allebei. Ze wisten nog goed hoe Noesjka aan haar klok gewerkt had. Vadertje Petroesjka had die voor haar afgemaakt en nu stond hij op haar kamer. De klok was verguld en er stonden een gouden herder en herderinnetje aan iedere kant van het uurwerk. Vroeger had Noesjka gedacht dat ze 's nachts levend werden.

Maar Simon hadden ze niet meer gezien, ook niet op de markt. 'Zeelieden komen altijd terug', zei mama. 'Af en toe moeten ze gewoon een grote reis maken.' En nu reisde Noesjka zelf. Ze kende de boerderij goed en toch vroeg ze zich af hoe het er zou zijn. Bij de bruiloft van Anna hadden Hans en David-Jan gezegd dat er jonge hondjes zouden zijn als ze kwamen. Zouden ze al geboren zijn? En hoe zou het zijn met Vrouwtje Appelwang? En met Jan de vioolspeler en Maja, zijn vrouw? En hoe groot zou hun zoontje Ischa zijn die met Kerstmis geboren is? Ze dacht ook aan de vlinderbron in het bos en aan de verkleedkist van Vrouwtje Appelwang.

En terwijl Noesjka droomde en de anderen bijna allemaal sliepen nam de wagen opeens een grote bocht om het erf van de Rozenhoeve op te rijden. Noesjka had niet eens gemerkt dat ze er al haast waren, zo verdiept was ze geweest in haar gedachten. Maar nu zag ze alles: de rozenpoort waar ze onderdoor reden, de luiken waaruit hartjes gezaagd waren, de put en de beek.

'Ze zijn er!' hoorde Noesjka roepen en daar kwamen de jongens aangehold. Ze waren klaarwakker en hadden de hele dag naar hun uitgekeken. Toen kwamen alle mensen van de boerderij. Boer Hans kwam uit de stal met rustige grote stappen. Met kleine vlugge pasjes kwam boerin Elske naar buiten en achter haar liep Marit. Johan werkte op het land. Hij zwaaide en werkte verder. Ze waren er allemaal.

'Welkom', zeiden Hans en Elske en lachten om de slaperige gezichten. Iedereen was wakker, behalve kleine Wladja. Voorzichtig reikte mama hem Elske aan. Mama legde een vinger op haar lippen en Elske knikte. Maar de kinderen praatten allemaal door elkaar en opeens sprong een hond blaffend op hun af! Nu werd ook kleine Wladja wakker. Hij keek verbaasd om zich heen. 'Kijk', zei Elske, 'jij bent ook weer thuis op de boerderij.'

13 De boerderij

'Dit is de vriendelijkste waakhond van de wereld', zei boer Hans toen ze allemaal aan de keukentafel zaten. De hond blafte dat horen en zien je verging, maar dat was om te laten merken hoe blij ze was met het bezoek.

'Iwan!' riep Elske en de hond lag als bij toverslag stil aan haar voeten. De hond verroerde zich niet meer en likte de hand van de boerin, die haar zachtjes over de kop aaide. 'Deze waakhond laat iedereen binnen', lachte zij. 'Iwan is een vrouwtje, maar wij kregen haar als een mannetje. We noemden haar Iwan, naar Iwan de verschrikkelijke, maar het is de liefste hond die je bedenken kan.'

Papa en mama, Pjotr en Emma keken naar de hond, die aan de voeten van Elske lag. Ze waren nog loom en warm van de reis. Maar Noesjka en Warja waren opeens klaarwakker. Ze herinnerden zich wat Hans en David-Jan van de jonge hondjes hadden gezegd. Zouden die van Iwan zijn? Ze zaten ineens rechtovereind en keken de jongens vragend aan. Allebei hadden ze hun mond vol, maar David-Jan begreep wel wat ze wilden vragen. 'Ze heeft een nest kleine hondjes', zei hij. David-Jan was bij Noesjka en Warja gaan zitten, maar kleine Hans zat aan de andere kant van de tafel, bij zijn vader en bij Johan de knecht. Hij voelde zich te groot voor de meisjes, vooral omdat ze hem er op school mee pestten. En hij wilde geen kleine Hans meer heten, maar gewoon Hans, net als zijn vader. Toch wilde hij ook wat zeggen. 'De hondjes zijn al een maand, zullen we zo gaan kijken? Iwan heeft haar nest in de schuur.'

'Niet zo schrokken', zei mama tegen Noeskja en Warja. Ze

wilden nog maar één ding: de jonge hondjes zien. Maar van een tafel met zoveel lekkers kon je niet meteen opstaan en de hondjes liepen niet weg, zei papa. Ze aten een groot stuk taart en keken om zich heen. Ze waren thuis, had Elske gezegd. Gek, bij de een was je zo thuis en bij een ander nooit. Misschien kwam dat omdat het hier zo lekker rook naar fris gras en bloemen, naar koffie en hars. Het was fijn om iedereen weer te zien, niet alleen de boerenfamilie, maar ook Johan de knecht en Marit uit de bergen. Het leek of ze niet weggeweest waren.

Noesjka keek om zich heen. Door het open keukenraam kon Noesjka de bergen zien. De bergen leken ver weg in het late middaglicht.

'Kom je nog?' vroeg David-Jan.

De hondjes! In een ommezien waren de vier kinderen buiten. Ze holden achter Hans aan, maar bij de schuur hield Hans in. 'Je moet wel zachtjes doen, anders schrikken ze.' Op hun tenen liepen de meisjes verder en zo voorzichtig als ze maar konden liepen ze de schuur in. Iwan was meegelopen, ze was al achterin de schuur toen Noesjka en Warja nog bij de deur waren. 'Nou, zo rustig hoeft het ook weer niet', zei David-Jan, 'kom maar mee.'

De meisjes liepen achter hem aan. Ze hadden nog nooit jonge hondjes gezien. Daar achter in de schuur, in een kom van geurend hooi, was het nest van Iwan. Ze lag tegen een hooibaal aan en keek naar haar kleintjes. Die konden nog nauwelijks lopen. Ze waggelden op hun kromme pootjes en je wist niet of hun blauwe oogjes iets zagen of niet. Ze waren zo klein dat ze bijna in je hand pasten. De jongens deden voor hoe je de hondjes op kon pakken zonder ze pijn te doen. Maar Noesjka en Warja durfden niet zo goed. De beestjes bewogen naar alle kanten en de meisjes waren bang om ze te laten vallen. Maar even later zaten ze bij het nest en hielden allebei een hondje vast. De moederhond

64

keek oplettend toe, maar even later lag ze uitgestrekt te slapen bij haar jongen. Hans haalde een schotel warme melk. 'Kijk', zei hij, 'de moeder is moe, ze heeft ze lang genoeg gevoed en nu moeten ze leren drinken.' Om de beurt namen de kinderen een hondje en stopten hun snoet in de warme melk. En zo leerden ze te drinken. Het was een hele inspanning voor ze. Met hun kopje onder de melk en hun buikjes vol vielen ze even later in slaap.

Het was heel stil in de stal. Het licht van buiten kwam door de half open deur naar binnen. Wat was het fijn hier weer te zijn. Hoe zou het met hun dieren zijn? Vorig jaar was een pasgeboren veulentje naar Noesjka genoemd. 'Daar staat ze', wees Hans. Noesjka en Warja keken. Het veulentje stond buiten in de wei, maar door de opening van de staldeur kon je haar net zien. Noesjka werd helemaal warm van binnen. Een hele zomer blijven we hier en ik zou willen dat er nooit een eind aan kwam, dacht ze.

'En mijn schaap?' vroeg Warja.

'We gaan er zo naar toe', zei Hans. Met zijn grote jongenshanden legde hij de slapende hondjes voorzichtig tegen hun moeder aan. De meisjes zagen hoe hij op zijn vader leek. Boer Hans zou dit net zo gedaan hebben.

Boer Hans kwam net binnen. 'Komen jullie helpen melken, jongens?' Alle vier gingen ze mee naar de koestal. Er waren dit jaar kalfjes geboren. Eentje was een paar dagen oud. Het kon nog maar net staan en zijn vacht was vol plukjes vochtig haar. De meisjes keken stil toe hoe de melk in de emmers stroomde. Hans en David-Jan konden allebei melken. Marit hielp mee en zong erbij. De meisjes waren haar liedjes van de bergen vergeten.

'Moeten jullie niet iets anders aan?' vroeg Marit aan de meisjes. Dat was waar ook! Vorig jaar hadden ze een overall en klompen van de jongens aangehad en nu hadden ze net als thuis hun gewone jurk met schort aan. Noesjka en

Warja en holden naar de boerderij. Daar waren mama en Emma druk bezig de koffers uit te pakken. Pjotr had ze op de kamers gezet. Kleine Wladja zat nog bij papa op schoot in de keuken. Papa wees hem van alles aan en dan herhaalde Wladja de woorden op zijn manier. Je kon hem nog geen verhaaltjes vertellen, maar hij kon al een heleboel woordjes zeggen. Ze waren allemaal erg trots op hem. Maar Emma liet dat het minst merken. Eén woord had kleine Wladja echt geoefend: 'Koekje', dat was net een toverwoord, voor hem. En toen hij dat kon zeggen, verwachtte hij dat de koekjes zomaar kwamen. Hij keek vragend om zich heen als hij 'koekje' zei en was teleurgesteld als er niets gebeurde.

'Wat moeten we aan?' vroegen Noesjka en Warja aan hun moeder.

'Het is toch goed zo?' zei mama verbaasd.

'Ja, maar we zijn op de boerderij', zei Warja, die mama wel erg vergeetachtig vond. 'Ja, en jullie zijn nu ook groter. Zo kan het best', zei mama.

'Maar mogen we dan geen klompen aan?' De meisjes waren teleurgesteld, zo was het niet echt. Op een boerderij droeg je klompen.

Elske had hen wel gehoord. 'Kom maar mee', zei ze, 'ze staan al voor jullie klaar.'

Gelukkig dat Elske hen begreep. Onder de kapstok stonden klompen. De jongens hadden ze de vorige avond opgeschuurd, zei Elske en ze leken net nieuw. Elske begreep wel dat de meisjes er anders uit wilden zien dan thuis. Daarom had zij in de kist met kleren van vroeger gekeken of er nog boerenschorten waren die de meisjes pasten. En ze had voor allebei een ouderwets mouwschortje gevonden met roesjes.

Zo, met andere kleren aan, voelden de meisjes zich pas echt thuis op de boerderij. 'Mogen we helpen?' vroegen ze. Ze wilden graag weer de boerderij zien en overal rondkijken.

'Kom maar, jullie mogen wel helpen voorraden uit de bijkeuken te halen. Maar binnen doen we de klompen uit,
weet je nog?' Elske gaf hun zachtblauwe sokken, die in de
klompen pasten en hun voeten lekker warm hielden. Het
was prettig door de glanzende kamers van licht hout te
lopen, waar overal kleine boeketjes stonden en je alle kleuren blauw zag: in de gordijnen, in de kussens en ook in het
porselein op tafel kwam het blauw terug.

De meisjes gingen naar de bijkeuken. Elske haalde een
sleutel van haar sleutelbos en opende de deur. Het slot was
met een zilveren schelp versierd. Voorzichtig droegen de
meisjes de schalen met eten die Elske en Marit al van tevo-
ren hadden klaargemaakt. Het was vandaag te warm voor
een warme maaltijd. Noesjka en Warja droegen schalen
vruchtensla, kaas, een ham en mandjes brood naar binnen.
Elske had de tafel met lichtblauw linnen gedekt. 'Zeg maar

dat we kunnen eten en vergeet je klompen niet!' lachte de boerin toen ze zag dat Noesjka en Warja zo naar buiten wilden lopen.

Die avond bleven de kinderen lang op. De jongens wilden alle nieuwe dingen laten zien en de meisjes wilden alles bekijken van vorig jaar: de klimboom, het merelnest en de beek. Toen ze vorig jaar weggingen, hadden de jongens Noesjka en Warja ieder een steentje gegeven dat er uitzag als bergkristal. Ze hadden die zorgvuldig bewaard. Het mooist van alles vonden ze hun eigen dieren: Noesjka het veulen en Warja het schaap met de sneeuwwitte vacht.

Toen het bijna donker was, werden ze binnengeroepen. 'Morgen is er weer een dag', zei Elske. Dat zeiden ze op de boerderij dus ook, dachten de meisjes. Thuis werden ze net zo naar bed gestuurd.

In hun stapelbed lagen ze nog even te kletsen. Gelukkig viel Warja dit keer niet direct in slaap. 'Wat vind jij het fijnste hier?' vroeg Noesjka. 'De hondjes', zei Warja. 'Ik de schorten', zei Noesjka. Haar schortje was met oud borduursel versierd en er stond een E van Elske op. 'Alle kleuren blauw', zei Warja weer. 'De zilveren schelp op het slot van de deur van de bijkeuken', zei Noesjka. Maar toen zei Warja niets meer, want ze sliep. En Noesjka vroeg zich af hoe een schelp op de Rozenhoeve verdwaald was geraakt. Ze waren toch ver van zee?

Het was waar wat Warja had gezegd van alle kleuren blauw. Iedereen had zo zijn kleur. Anna hield van geel, Elske van blauw en zijzelf? Groen misschien. Er waren zoveel prachtige kleuren groen en ze hadden allemaal andere namen: mosgroen, lindegroen... Als Noesjka verdrietig was, bedacht ze altijd mooie kleurennamen: roestbruin was een kleur die naar de herfst rook, parelgrijs was een deftige kleur en van korenblauw werd je vanzelf vrolijk. Zo sliep ook Noesjka in. Nachtblauw was de laatste kleur waaraan ze dacht toen ze de sterrenhemel zag opkomen en ze zich nog een keer omdraaide om een lekker holletje in haar bed te maken.

14 In het bos

De dagen van de week leken op de golven van de zee, vond Noesjka. Sommige golven kwamen aangestormd en ze brachten van alles mee. Een spoor van schuim en schelpen lieten ze achter. Tegen de avond werden de golven weer rustiger, de zee kon vlak en rimpelloos worden, je kon de golven zelfs nauwelijks meer zien. Op die golven leken de meeste dagen op de boerderij. Er gebeurde niet veel, alles had zijn vaste regelmaat.

Dit overdacht Noesjka allemaal, toen ze bij de beek op haar vertrouwde geheime plekje onder de wilgen zat. Hier kon je heerlijk zitten met je rug tegen een stam en je voeten in het water. De beek maakte hier een kleine bocht, zodat ze uit het zicht van de boerderij zat. Ze zag en hoorde alleen de stille stroming van het water en het geritsel van de wilgenbladeren.

'Ga je mee?' Daar stond David-Jan. Hij lachte om het verbaasde gezicht van Noesjka. Op de boerderij wisten ze haar wel te vinden als ze op haar geheime plaatsje zat te dromen, maar ze hadden haar dat nooit verteld. Vandaag zou het een bijzondere dag worden, vertelde David-Jan, want ze zouden eindelijk de ruïne in het bos gaan verkennen, op zoek naar een schat. Vorige zomer hadden de kinderen bedacht dat er bij een ruïne vast een schat verborgen lag. Maar toen was het bos ondoordringbaar geweest. Boer Hans en boer Jacob hadden deze winter hard gewerkt aan een goede weg naar de bron en die lag naast de ruïne. En vandaag hoefden ze niet te helpen, dus hadden ze de hele dag voor zich om iets bijzonders te vinden.

Toen Noesjka begreep waar David-Jan het over had, wilde ze dadelijk mee. Het zou weer een warme dag worden, want die ochtend had er een dikke laag dauw op het veld gelegen. Vandaag droeg ze haar vlinderjurk. De jurk was lichtblauw en als je holde was het net of je een vlinder was, zo'n zandblauwtje die je in de duinen zag, bij het strand van Simon. Het strand en Simon leken heel ver weg. Waar zou Simon zijn? Zou hij weer over de wereldzeeën varen, omdat hij het bij hun stadje maar saai vond?

Daar waren Warja en Hans. Ze droegen een mand tussen zich in. Zonder eten wilde Elske hen niet laten gaan. En toen ze die mand zag, kreeg Noesjka al honger. Maar ze zouden er pas in kijken als ze bij de vlinderbron waren.

Als je langer op de boerderij was, leken de wegen korter. In het begin leek het een heel eind naar de bosrand, over het veld, langs het koren. En nu waren ze er zo. Het was dit keer veel spannender om naar het bos te gaan. Want behalve een bron en een ruïne lag er nu ook ergens een schat met met gouden munten en een landkaart. 'En edelstenen', zei Warja. 'Met koralen', zei Noesjka. 'En parels', zei Warja weer, want parels horen bij een schat.

Bij de ingang van het bos groeiden braamstruiken aan weerszijden van de weg. Toen ze door die geheimzinnige ingang het bos in liepen waren ze direct in een andere wereld. Opeens was het stil en er waren nauwelijks bloemen. Er bloeiden alleen kleine rozewitte klokjes tussen de wortels van de hoge bomen. En hier en daar, op een plek waar de zonnestralen nog doorkwamen, bloeide een wit bloemetje dat net een sterretje leek. Het bracht vast geluk.

De bron lag stil en zilverachtig tussen de bomen, net als op de avond dat Noesjka hem vond. Om de ronde bron lagen grote bemoste stenen. Het mos stond in bloei. Toen ze aan het groene licht gewend waren, konden ze de bloemetjes beter zien.

Maar eerst keken ze in de mand. Er zat zoveel lekkers in, dat ze even niet over de schat praatten. Maar toen alles op was keken ze om zich heen. Waar moesten ze met zoeken beginnen? De jongens lieten Noesjka en Warja vol trots zien dat ze een tijd geleden al een stuk stenen muur hadden uitgegraven. De stenen waren veel groter dan die van hun boerderij en ongelijk van vorm. Er zat geen cement tussen. Het leek wel een puzzel, die een reus hier voor zijn plezier in elkaar had gezet.

De jongens hadden al gekeken of er tussen die stenen een nis te vinden was, waarin een schat paste. Maar de stenen zaten precies tegen elkaar. Ze hadden ook een stuk vloer gevonden. Je kon de stenen niet goed zien. Overal groeide mos, en takken van braamstruiken overwoekerden al het stukje vloer dat Hans en David-Jan met zoveel moeite hadden schoongemaakt.

De kinderen haalden bladeren en takken weg, trokken mos opzij, maar ze vonden alleen maar enkele wilde aardbeien. Ze waren met de vloer begonnen. Volgens Hans kon er best eens een luik naar een onderaardse gang zijn. En die onderaardse gang was net een plaats voor een schat. Hij was er trots op dat hij dat had bedacht.

Alleen Noesjka keek naar de bron. Het leek of het water een klein beetje stroomde. Het oppervlak was niet stil zoals ze altijd had gedacht, en als je goed keek, stroomde het naar twee kanten. Papa had verteld, dat dit de bron was die de beek bij de boerderij voedde. De beek ging een heel eind onder water en was al breed als hij bij de boerderij naar boven kwam. Dus die ene kant ging naar de boerderij. Maar er was nog een kant. Daar leek het water ook naar toe te stromen. En die kant wees verder het bos in, daar waar het pad ophield en waar alleen nog varens en bramen groeiden. Als daar ook nog een beekje was? Waar zou dat naar toe leiden? Naar een schat?

Opeens had ze een idee. Als dat beekje niet onder de grond verder ging, moest je er langs kunnen lopen. Er moest een pad te vinden zijn.

'Ik ga even bij de beek kijken!' riep ze.

'Ik ga mee!' riep Warja terug.

Noesjka vertelde Warja wat ze bedacht had. Ze baanden zich een weg door het bos in de tegenovergestelde richting als ze gekomen waren. En opeens zagen ze een heel smal zilveren beekje dat over de stenen stroomde. Ze volgden het beekje door net als het water over de stenen te springen. Je kon het beekje horen ruisen. Maar, was dat geluid wel van het beekje? En terwijl het beekje breder werd, nam het ruisen toe. Dat was vreemd. 'Ruik jij dat ook?' vroeg Warja opeens. Ze stonden stil en toen wisten ze het zeker; het rook zout, het rook naar de zee.

Hier stonden vooral dennenbomen, en er kwam meer licht in het bos. Noesjka en Warja knepen hun ogen tot spleetjes. Na het donkere bos was het licht dat ze zagen verblindend. Ze stonden vlak bij een kleine baai, die door dezelfde rotsblokken als die van het bos omsloten waren. Warja pakte Noesjka's hand vast en fluisterde: 'De zee.'

15 De baai met het regenboogschip

Eerst zagen Noesjka en Warja de zee niet duidelijk. De zon stond achter hen en maakte lange schaduwen over het witte strand. Ze keken uit over een kleine baai, die de vorm had van een halve maan. Aan beide zijden was de baai door rotsen omsloten. Er stak een zacht briesje op, dat met de toppen van de bomen speelde. De meisjes zagen dat de branding hier sterker was dan bij de zee thuis. De golven kwamen hier met veel meer lawaai neer op het strand. Ook hun schuimkoppen waren groter. En toen zagen ze dat aan de verste rand van de rotsen, een man lag te slapen.

'De prins van de kleine zeemeermin', zei Warja zachtjes. Die had ook op het strand liggen slapen. De kleine zeemeermin had hem daar neergelegd. En daar had het andere meisje, met wie hij later zou trouwen, hem gevonden.

Maar toen ze beter keken, zagen ze dat naast de slapende man de boot van Simon lag. En daarnaast stond een mand vol zilvervisjes, zoals alleen Simon ze verkocht op de markt. Maar het wás Simon! Dat ze dat niet direct gezien hadden! Maar wie had gedacht dat ze hem hier zouden vinden? Eindelijk begrepen ze het geheim van de zilvervisjes. Maar hoe was hij hier gekomen?

Voorzichtig liepen Noesjka en Warja naar hem toe. In zijn slaap zag Simon er anders uit. Hij leek veel jonger. Hij sliep op zijn gebruinde arm, met zijn gezicht naar de meisjes gekeerd. Ze bleven een eindje van hem af staan en durfden hem niet wakker te maken, ook al waren ze nog zo nieuwsgierig. Ze wilden dolgraag weten hoe hij hier kwam. Hoe wist hij van de baai en de zee? Op de boerderij en ook bij

Vrouwtje Appelwang hadden ze nooit over de zee horen vertellen.

Simon werd wakker. Voelde hij hun nieuwsgierige blik-
ken? Hij ging overeind zitten, klopte het zand uit zijn kleren en keek op. 'Zo, daar zijn mijn kleine vriendinnetjes',
zei hij of het de gewoonste zaak van de wereld was hen daar
te ontmoeten. Hij had pretlichtjes in zijn ogen.

'Wat doe jij hier?' vroeg Warja.

'En jij?' lachte Simon. 'Ik vis voor mijn brood en wacht tot
het eb is om weer te vertrekken.'

'Waar was je?' vroeg Noesjka.

'Ach, ik moet ook wel eens een boodschap doen', zei
Simon en haalde een klein pakje uit zijn borstzak. 'Dit is
voor Emma', zei hij verlegen. 'En kijk', zei hij maar gauw en
keek Noesjka en Warja plagend aan: 'Nu kennen jullie het
geheim van de zilvervisjes. Vertel het maar niet aan de
dames van de stad. Dan gaan zij hier ook nog vissen.' En
toen lachte Simon zoals alleen hij dat kon doen. Hij lachte
van zijn blonde haar tot aan zijn blote voeten. De rotsen
werkten als een echo en alles om Simon heen lachte.

Noesjka en Warja gingen bij hem op het zand zitten. Het
witte zand was warm van de middagzon en heel zacht. Het
was prettig het tussen je vingers te laten glijden. 'Hoe kom
je hier?'

'Alweer een geheim', zei Simon vrolijk. 'Maar ach, als je
dat ook niet verklapt, zal ik het je vertellen. Hierachter
maakt de kust een bocht en vanaf de zee kan je deze baai
niet zien. Je moet weten dat hij er is.'

'Hoe wist jij dat dan?' vroeg Noesjka. 'Ja, ja, juffertje wijs-
neus, als je dat eens wist. Vooruit dan maar, ik zal je mijn
derde geheim vertellen. Driemaal is scheepsrecht.' Simon
ging er eens goed voor zitten en begon: 'Je weet dat ik een
papegaai heb.' Wat had die er nu mee te maken? Noesjka
fronste haar wenkbrauwen. 'Die papegaai was op een dag

zoek in mijn huisje. Dat is merkwaardig, nietwaar? Zo groot is het bij mij nu ook weer niet.' Vergenoegd keek Simon naar de twee nieuwsgierige gezichten. 'Om de papegaai te zoeken klom ik op mijn stoel en toen zag ik dat mijn Lorre daar in een hoek van de kamer in een soort nisje zat. Ik kon hem er net uithalen, zonder op de grond te vallen. Maar toen viel er iets anders. En toen ik goed keek, zag ik dat het een oude landkaart was die onder het stof zat. Dat zal je wel niet verbazen hè, in zo'n oud huisje wil wel eens wat stof liggen. Toen ik dat er goed afgeblazen had, zag ik dat het een kaart was van de kust van dit gebied. Die kaart heeft zeker aan een visser toebehoord, die hier vroeger woonde. En daarop stond deze baai, die verder nergens is opgetekend. Zilvervisjesbaai, stond erbij. Misschien had die visser de kaart wel zelf gemaakt. Nou, wat zeg je daarvan?'

Dat wisten de meisjes niet zo gauw. Zo'n kaart vinden leek hen wel wat, zelf hadden ze wel een schatkaart van de ruïne willen vinden. En deze was Simon zomaar voor de voeten gevallen. Nu kenden ze de drie geheimen van Simon wel, maar ze hadden nog geen schat gevonden. En dit keer had Simon alleen voor Emma iets meegenomen. 'Ach ja', zei Simon die hun gedachten wel kon raden, zo teleurgesteld keken de twee meisjes, 'Emma is nu eenmaal een bijzonder meisje. Maar ik heb ook iets voor jullie meegenomen. Het is een oud verhaal. Mijn grootmoeder vertelde het mij toen ik klein was. Dat is niet zo lang geleden hoor!'

Simon pakte zijn pijp en klopte het uit. Want zonder pijpje, al brandde het niet, kon hij niet vertellen.

'Vroeger vertelden de mensen elkaar, dat als de zon scheen en het toch regende, aan de einder van de zee een schip verscheen dat het regenboogschip werd genoemd. Je zag het schip nooit lang en je wist nooit zeker of je het gezien had. Eigenlijk wist niemand of het wel echt bestond.

Nu was er in een ver land een prins zo ziek, dat de koning

had gezegd dat wie hem beter zou maken goed beloond zou worden.

Die dag zagen de mensen van dat land van verre het regenboogschip naderen. Het voer over de schuimkoppen van de zee. En aan de plecht stonden zeven jonkvrouwen, gekleed in de kleuren van de regenboog. Zachtjes gleed het schip de haven binnen, het meerde als vanzelf aan. En door onzichtbare handen werd de loopplank uitgelegd. Daarover liepen de zeven meisjes, zo licht als de voorjaarswind. Voorop liep het meisje dat in het wit was gekleed. Ze droeg een aarden kruikje voor zich uit. Ze had loshangend gouden haar dat tot haar middel reikte. Om haar hoofd droeg ze een krans van witte bloemen met gouden hartjes.

Na haar kwamen één voor één de andere meisjes. Ze leken niet op elkaar, hun haar had de kleur die bij één van de kleuren van de regenboog paste.

Het meisje in groen had kastanjebruin haar en het meisje dat in violet gekleed was, had haar dat zwarter dan zwart was, maar allemaal waren ze even mooi. Zij glimlachten naar de mensen die toestroomden en volgden het meisje met het gouden haar.

Zij liep recht op het paleis af, gevolgd door de regenboogmeisjes en door de groeiende stoet mensen. Het was heel stil in de straat waarin de meisjes liepen. Zo hoorde je de vogels zingen, terwijl de stoet het paleis naderde.

Daar presenteerde de wacht het geweer. Ongehinderd liepen de meisjes naar de koning. Die zat stil voor zich uit te kijken en merkte niets. Die ochtend had de dokter niets gezegd, toen de koning vroeg hoe het ging met zijn zoon. Ineens zag hij wat de hele stad al gezien had: een naderende stoet kleurige regenboogmeisjes.

'Heer koning', zei het meisje met het gouden haar, 'wij zijn gekomen om uw zoon te genezen.'

Eindelijk kwam de koning in beweging. Zijn kroon viel op

de grond, zo haastig stond hij op. Maar hij merkte het niet eens.

De zeven meisjes volgden de koning naar de kamer van de prins. Voorop liep nog steeds het meisje met het gouden haar. De koning schoof het gordijn van het bed van de prins opzij en zag hoe zijn zoon sliep. Zijn gezicht was zo wit als een doek. Het meisje met het gouden haar liep naar het bed en lichtte zijn hoofd op en liet hem drinken uit het aarden kruikje. De prins sloeg zijn ogen op en zij keken naar elkaar. Langzaam kwam er kleur op de wangen van de prins en voorzichtig richtte hij zich op. Verwonderd keek hij om zich heen, van het meisje met het gouden haar naar zijn vader, van de regenboogmeisjes naar de hofhouding, die stil gevolgd was.

'Waarom ben ik hier?' zei hij bijna vrolijk toen hij zag dat zijn vader geen kroon op zijn hoofd had. En zijn vader zuchtte diep, want hij had zijn zoon al zo'n lange tijd niet horen lachen. Toen keek de prins naar het meisje met het gouden haar en iedereen die zag hoe hij keek begreep dat hij van het meisje hield dat hem beter had gemaakt.

Even later stond de prins in zijn beste kleren naast het meisje op het bordes van het paleis. Zij stonden hand in hand en de mensen die de stoet gevolgd hadden riepen: 'Hoera! Leve de prins, leve het jonge paar.' En de koning riep het hardst van allemaal. Diezelfde dag nog werd de bruiloft gevierd en op het feest dansten de zeven regenboogmeisjes. Maar zij wezen alle jongemannen af die om hun hand vroegen. 'Wij moeten terug naar ons schip', zeiden zij. En de volgende morgen waren zij al verdwenen met hun schip. Niemand had het weg zien varen.

Soms zie je het regenboogschip aan de horizon als de zon schijnt en het regent. Het duurt maar even en als het gebeurt vertellen de mensen van de stad van het land waar het regenboogmeisje koningin is geworden hoe het schip, lang geleden, de haven in kwam. En hoe het meisje met het gouden haar, dat in het wit gekleed was, de prins genas. De koningin genas daarna ook andere zieken. Want al kwam zij van het rijk van de zee, toch kende zij de geneeskrachtige kruiden van het land. Als je goed naar de regenboog kijkt, is er één baan die geen kleur heeft. Daar stond eens het meisje met het gouden haar. Zij en de prins leefden nog lang en gelukkig en alle kleine prinsen en prinsessen hadden gouden haar.'

Na het verhaal waren Noesjka en Warja zo stil, dat Simon zei: 'Slapen jullie?'

'Nee', zeiden de meisjes met een diepe zucht. Ze keken naar het zand en zagen dat hun schaduw veel langer was dan toen ze gekomen waren. 'Maar we moeten weg', zeiden ze geschrokken.

'Ga je mee?' vroeg Noesjka aan Simon.

'Nee, het is eb en dan moet ik gaan, doe Emma de groeten.' Simon zette zijn mand in de boot en duwde de boot in zee. Daarbij zong hij zijn zeemanslied:

Zeelieden komen
zeelieden gaan
bij volle en bij
halve maan.

Noesjka hield het pakje voor Emma stevig vast. Ze nam Warja bij de hand en samen zochten ze de weg terug naar de ruïne. Het bos was donkerder dan op de heenweg, maar ze waren gelukkig eerder bij de ruïne dan ze dachten.

De jongens hadden hen helemaal niet gemist en Noesjka en Warja konden niet eens van de zee en de baai vertellen, zo vol waren kleine Hans en David-Jan van alles wat ze gevonden hadden: oud gereedschap, roestige spijkers en zelfs een kleine zilveren sleutel. En dat die vast op een schat

16 Zomeravond

Op de boerderij praatten de kinderen allemaal door elkaar. Zij vertelden over het bos, de ruïne en de zee en boer Hans, Elske, papa en mama vroegen van alles tegelijk. Vooral het verhaal van de baai en de zee wilden ze horen. Ze aten later dan anders, want er was op de kinderen gewacht. Het werd avond. De bomen staken steeds donkerder af tegen de lichte zomerhemel. Hans en David-Jan werden stil. Ze dachten aan de sleutel. Daar werd helemaal niets over gevraagd. Zelf hadden ze die zo bijzonder gevonden.

'Laat de sleutel nog eens zien', zei boerin Elske. Ze voelde wat er in de jongens omging. Ze bekeek de sleutel nog eens goed en zei toen: 'Moet je zien, Noesjka, herken je dit?' Met haar servet veegde ze de sleutel schoon. Als je goed keek zag je dat er een schelpje op was afgebeeld dat leek op de schelp van het slot van de bijkeuken. Hans en David-Jan kregen ineens weer honger. Misschien was de Rozenhoeve gebouwd door de mensen die de boerderij in het bos verlaten hadden. Eerst hadden ze in het bos bij de zee gewoond en daarom hadden ze die schelp afgebeeld, als herinnering. Ze hadden het in het bos vast te donker gevonden en zochten een lichtere plaats om te wonen. En hun kinderen hadden van het stromende water van de beek gehouden, dat zo anders was dan het donkere stille water van de bron in het bos. In de beek kon je spelen en in de bron niet.

Ook boer Hans bekeek de sleutel eens goed. 'Dit is toch wat je noemt een schat', zei hij. De jongens zuchtten diep. Dat was waar en zij hadden het gevonden.

Emma had al die tijd niets gezegd. Toen Noesjka haar voor

het eten het pakje had gegeven, was ze sprakeloos geweest. Dus Simon was er weer. Geheel onverwachts was hij gekomen en dat op een plek die niemand van de boerderij voor die dag kende. Emma had niet kunnen geloven dat Simon was weggegaan zonder iets te zeggen. Maar toen hij er opeens niet meer was, had ze dat wel gemoeten en had ze zich zo alleen gevoeld. Nu pas merkte ze hoe ze naar de marktdagen had uitgekeken. Dan praatte ze altijd even met Simon. En hij maakte steevast grapjes en nam iets voor haar en de kinderen mee. Het was maar even, want ze moest ook boodschappen doen en op de kleine jongen passen. Maar met dat moment kon ze een hele week blij zijn. Nu had hij zoiets moois voor haar gekocht, want in het pakje zat een kettinkje van bloedkoraal. Ze had het direct omgedaan en het paste. Emma was de laatste tijd zo stil geweest. En nu was ze weer stil, alleen op een andere manier, dacht Noesjka. Haar smalle gezicht straalde. Noesjka had Emma het pakje buiten gegeven, toen de anderen al binnen waren. Ze hoefden het niet allemaal te zien. Maar toen kwam kleine Wladja ook naar buiten en trok zo hard hij kon aan het kettinkje. Noesjka pakte hem snel vast en Emma deed vlug haar kettinkje af. Samen spraken ze af dat Emma het zou opbergen en dat Noesjka het aan niemand zou zeggen. Alleen aan Warja, want die wist toch al van het pakje.

'Kom gauw, ze zitten al aan tafel', had Noesjka gezegd.

Emma zat te dromen en hoorde niets. Ze had geen idee wat ze at. Voor zich zag ze de baai en Simon.

Het werd donker in de keuken en het was er warm. 'Zullen we buiten koffie drinken?' vroeg Elske. Het was een bijzondere avond. De kinderen hadden zoveel verteld. En buiten was het heerlijk koel. Onder de kastanjeboom was een zitje met houten stoelen en toen ze daar zaten, kwam de maan op. Het was volle maan; de maan was roodgekleurd door de stralen van de ondergaande zon. Ze zaten er stil naar te kijken terwijl Marit de koffie inschonk. Elske had de kleine feestelijke kopjes genomen waar kransen madeliefjes en ereprijs op waren geschilderd. De kinderen waren naar de hondjes gaan kijken en Emma bracht kleine Wladja naar bed.

Langzaam beklom de maan de hemel. De avondster fonkelde al boven de bosrand. Hoog aan de hemel was het blauw lichter dan vlak boven de bomen. Iedereen dacht nog na over de boerderij in het bos. Boer Hans bedacht dat die mensen van vroeger geen betere plaats hadden kunnen uitzoeken dan de Rozenhoeve.

Zo'n avond als deze zou eigenlijk niet voorbij moeten gaan. De maan was nu niet meer rood, maar donkergeel en wierp een geheimzinnig schijnsel over de velden. Nachtvlinders fladderden van bloem naar bloem. Eén voor één gingen de kelken van de nachtbloemen open. Zij verspreidden een doordringende zoete geur. De weide, de beek en de bomen, de grasjes en bloemen baadden in het geheimzinnige maanlicht.

'De mensen van het bos hielden vast van deze plek', zei boerin Elske en papa en mama knikten. Boer Hans en Johan vonden dat vanzelfsprekend en zeiden daarom niets.

Opeens lachte mama: 'We denken al net als de kinderen.'

Marit dacht aan die andere kleine boerderij hoog in de bergen, waar ze geboren was en waar alleen nog haar ouders met haar jongste zusje woonden. Alle kinderen waren vroeg uit werken gegaan. De boerderij bracht weinig op. Er waren geen melkkoeien zoals hier en zeker geen paarden. Op haar boerderij waren geiten en kippen. Al vroeg had Marit geholpen, ze kon geitenkaas maken en spinnen. De wol verkochten ze. Weven kon ze niet. Natuurlijk waren de mensen hier goed voor haar. Met Kerstmis hadden ze beloofd dat ze deze zomer een paar dagen naar huis mocht. De stadse familie ging mee. Ze vond ze aardig, ook al gebruikte de meneer soms vreemde woorden. Marit dacht ook aan Daniël. Met kerst had hij haar een ring gegeven. Het was een smalle zilveren ring, het leek of hij gevlochten was uit verschillende draden. Maar niemand hier had die ring gezien. Ze bewaarde hem in een doosje waarop een kleine boerderij met een herder en herderin waren geschilderd. Daniël was een herder en omdat hij de oudste was, erfde hij de boerderij later van zijn ouders. Dat ging zo.

'Marit', zei Elske. Marit schrok op. 'Waar denk je aan? Aan thuis? Na de oogst moet je maar een paar dagen naar huis gaan. En de oogst is algauw binnen.' Marit keek haar dankbaar aan. Daar kwamen de kinderen met een hondje dat niet had willen drinken.

'Breng maar terug, dat komt morgen wel, en nu allemaal naar bed', zei boer Hans.

In de schuur hadden de kinderen nagepraat over de dag. Dat ze toch een schat hadden gevonden. En dat was maar goed ook, want zoveel dagen om te spelen waren er niet meer. De jongens waren zo groot, dat ze elke dag moesten meehelpen.

'Wij hebben Vrouwtje Appelwang al een tijdje niet gezien', zei Warja, toen zij en Noesjka bedachten wat ze de volgende dag zouden doen. 'Dan gaan we morgen naar haar toe', zei Noesjka.

In het donker stommelden de meisjes naar hun zolderkamer. De kamer werd verlicht door de maan die naar binnen keek. Zou Simon hem zien op zee? Waar zou hij zijn? Als hij terugging naar de stad, zouden ze hem daar weer zien na de zomer. Maar dat duurde nog zo lang. Dit keer sliepen Noesjka en Warja meteen in. Noesjka droomde dat Emma een zeemeermin was met bloedkoralen om haar hals. Later veranderde ze in een prinses, maar hoe het precies ging, wist ze de volgende dag niet meer.

17 Björn

Vrouwtje Appelwang had twee zonen. Zij waren jaren geleden naar het hoge noorden vertrokken. Ze heetten Jan en
Björn en ze wilden allebei net als hun vader speelman worden. Dat kan alleen als je zo speelt, dat de mensen hun zorgen vergeten. Want dan vragen ze je graag op hun feesten.
En niet alleen de mensen, maar ook de dieren luisteren dan
en houden hun adem in als er een echte speelman speelt.
Een speelman kan de melodieën die hij hoort zo naspelen.
Je kunt het niet worden, je moet het al zijn.

Een jaar geleden was Jan teruggekomen met Maja, zijn
vrouw, en met zijn viool en met Kerstmis was hun zoontje
Ischa geboren. Alle drie woonden ze bij Vrouwtje Appelwang, in haar kleine boerderij aan de rand van het bos. Jan
had de oude werkplaats van zijn vader opgeknapt. Want
zijn vader, Jan de speelman, was behalve rozenschilder ook
meubelmaker geweest. In de werkplaats had hij aan zijn
opdrachten gewerkt en zijn leerlingen het vak bijgebracht.

Als Vrouwtje Appelwang naar Jan, Maja en Ischa keek,
dacht ze dat er niets aan haar geluk ontbrak. Maar dat was
wel zo. En ze wist ook heel goed wat het was. Het was Björn.
Als ze maar wist dat het goed met hem ging. Maar dat had
Jan niet kunnen zeggen. 'Ach, hij is gewoon met een circus
mee, achter de muziek aan', zei Jan om zijn moeder te pla-
gen.

'Jongen, praat toch geen onzin', zei Vrouwtje Appelwang.
Zij wisten nog goed hoe Björn als klein kind achter de
muziek aan liep, waar hij die maar hoorde. Gelukkig was er
toen veel muziek in huis geweest.

En opeens, op een mooie zonnige morgen was Björn de keuken binnengestapt. 'Goedemorgen', zei hij tegen Vrouwtje Appelwang, Jan en Maja, die om de tafel koffiedronken. Toen had hij z'n armen om zijn kleine moeder geslagen, haar opgetild en haar op elke wang een zoen gegeven. Hij gaf Jan een hand en een stevige klap op zijn schouder en Maja had hij heel voorzichtig een hand gegeven. Hij vond haar zo broos, klein en sierlijk. Maja glimlachte naar hem. Zijn moeder en Jan konden geen woord uitbrengen, zo blij waren ze dat hij terug was.

'Zo, daar ben ik weer', zei Björn en schoof een stoel aan. Hij keek de kring eens rond en zei vergenoegd: 'Ja, ja.' Net als Jan had hij zwarte krullen, maar hij had ook nog een volle baard. En hij was een stuk groter. Björn betekent beer. Björn was dan ook zo sterk en groot als een beer, maar vriendelijker dan een beer kan zijn. Toen Vrouwtje Appelwang, Jan en Maja van hun verbazing waren bekomen, vroegen ze hoe het met hem gegaan was al die jaren, of hij een goede reis had gehad en nog veel meer. Maja gaf hem gauw een kommetje koffie en Björn begon te vertellen. Het was of hij nooit was weggeweest. Björn was iets jonger dan Jan, maar hij leek wel jaren jonger. Hij kon om de gewoonste dingen lachen. En als hij lachte, schudden de houten muren van de kleine boerderij en rinkelden alle kopjes en kommetjes.

Björn vertelde dat hij jarenlang timmermansleerling was geweest en tegelijkertijd muziek had gemaakt. Hij had zoveel mogelijk geleerd van de andere speelmannen en hij had op allerlei feesten gespeeld. Björn speelde fluit. Met zijn dikke vingers haalde hij uit de binnenzak van zijn bruinfluwelen jas een fluitje. Het leek onmogelijk dat hij daar met zijn grote handen op kon spelen. Maar hij kon het en hij speelde met zoveel trillers en versieringen, dat je zijn vingers haast niet meer zag. Omdat het zomer was stonden alle ramen van de boerderij open en zo hoorde je hoe de vogels meezongen. Björn legde zijn fluitje neer. 'Zo gaat het altijd', lachte hij, 'ze zingen mee, omdat ze er geen fluiter bij willen. Ja, ja, maar ik blijf nog wel even!'

De deur ging zachtjes open. Verlegen stonden Noesjka en Warja in de deuropening met een grote bos bloemen. Ze hadden de fluitmuziek al van verre gehoord, en hadden zich afgevraagd wie daar speelde. De meisjes begrepen meteen dat de onbekende Björn was. Maar ze durfden niet net als anders naar binnen te gaan. Toen Björn hen eens toelachte, durfden ze dat wel. Maja sloop naar boven om bij kleine Ischa te gaan kijken. Ze was hem helemaal vergeten door de muziek en de verhalen. Björn stond op, stootte zijn hoofd aan één van de balken van het plafond en zei: 'Dat is waar ook.' Toen tilde hij Warja op en gooide haar de lucht in zoals Johan het ook kon, ving haar weer op en zei: 'En wie ben jij dan wel? En is dat je zusje?'

'Ja', zei Warja een beetje duizelig.

'Dit zijn Warja en Noesjka', zei Vrouwtje Appelwang tevreden. 'In de zomer zijn ze op de boerderij van Hans.'

'Ja, ja', zei Björn en bekeek ze eens goed.

'Kun jij fluiten?' vroeg Warja. Hij moest het geweest zijn die daarnet floot en er lag ook een fluit op tafel.

'Natuurlijk kan ik dat', zei Björn. Hij toverde een grotere fluit uit een andere binnenzak. Weer begon hij te spelen, maar het waren niet de melodieën van daarnet. Die waren vertrouwd, ze leken op de muziek van Jan, die ze al van het oogstfeest kenden. Nee, Björn speelde nu kinderliedjes. Noesjka wou dat ze de liedjes kende zodat ze kon meezingen. Ook al speelde hij fluit, toch was het of hij zong, dacht Noesjka. Ze luisterden allemaal naar de muziek en zo merkte niemand dat Warja er opeens niet meer was. Toen Björn ophield met fluiten, hoorden ze als een echo hoe het refrein van zijn liedje op een fluit werd nagespeeld.

Björn keek van Vrouwtje Appelwang naar Noesjka en terug. Maar Jan was stilletjes naar de werkplaats gegaan en daar vond hij Warja met in haar handen het kleine fluitje waar ze zo vaak naar had gekeken, als ze hem opzocht in zijn werkplaats. Het hout was versierd met vogels en bloemen. Het was het eerste fluitje dat de vader van Björn voor hem had gesneden. 'Ben jij die echo?' lachte Jan. 'Kom mee, ze zullen hun ogen niet geloven.' Hij nam Warja bij de hand. Ze was verlegen, maar tegelijkertijd straalde ze. Ze kon fluiten! Ze had dat altijd gewild, maar niet gedurfd. En nu ging het vanzelf. Björn had pretlichtjes in zijn ogen. Hij herinnerde zich dat het bij hem net zo gegaan was. Fluiten had hij niet hoeven leren, hij had het gewoon gekund. Niet alles natuurlijk, maar wel zoiets eenvoudigs als een kinderliedje. En dat was bij Warja ook zo. Zo ging dat bij muzikanten.

'Hou hem maar meisje', zei hij goeiig. Daarna nam hij haar op schoot en zette haar vingers precies op de gaatjes. Maar ze wist al hoe het moest, ze had goed naar hem gekeken. Ze was te blij om te bedanken. 'Je moet dank je zeggen', zei Noesjka.

Björn vond het twee grappige meisjes. En dat de kleinste zomaar kon spelen! Dat maakte je niet elke dag mee! Toen knikte Jan naar Noesjka. 'En jij? Hou jij van muziek?' Noesjka knikte. Ze had een brok in haar keel. Jan had wel gezien dat ze jaloers was en Noesjka schaamde zich, maar ze kon het niet helpen. Warja ging alles zo gemakkelijk af. Zelf was ze stiller en ze had niet altijd een antwoord klaar zoals haar kleine zusje. 'Misschien heb ik ook wat voor jou', zei Jan, 'wacht maar.' En weer verdween hij naar de werkplaats.

Terwijl niemand het merkte was Maja binnengekomen met kleine Ischa in haar armen. Ze was in een hoekje van de kamer gaan zitten op de schommelstoel om Ischa te voeden. Ischa had tijdens het drinken steeds even omgekeken naar Björn, het was of hij ook luisterde. Nu had Ischa gedronken en zat met vuurrode wangen naar de onbekende te kijken. 'Zo, zo, nog een kind. Ze worden steeds kleiner', zei Björn toen hij de baby zag. Maja reikte hem het jongetje aan. Alsof hij van porselein was, zo voorzichtig pakte Björn hem aan. 'Je hoeft niet zo voorzichtig met hem te zijn hoor', lachte Maja. En terwijl Björn vol verbazing naar het kleine jongetje keek, grepen de handjes van Ischa al naar zijn baard. Ischa keek net als de anderen blij naar Björn. Als je deze speelman zag werd je vanzelf vrolijk, dacht Noesjka en ze was nu ook blij voor Warja.

'Kijk eens', hoorde ze Jan zeggen, 'is dit misschien iets voor jou?' In zijn armen droeg hij een kleine viool. De viool was ook met houtsnijwerk versierd.

Noesjka slikte. 'Wat mooi', zei ze. Ze had niet jaloers willen zijn, maar het was vanzelf gegaan. 'Ik bewaar hem voor je en als je weer komt, leer ik je erop spelen', zei Jan. Hij knikte Noesjka nog eens toe en wikkelde de viool in een zijden gebloemde doek, voor hij hem opborg.

Vanaf die dag gingen de meisjes zo vaak mogelijk naar de kleine boerderij van Vrouwtje Appelwang. Ze leerden muziek maken en ze leerden snel. Algauw kon Noesjka de kleine viool laten zingen, zelfs als ze alleen op de losse snaren speelde. En Warja speelde alles na wat ze hoorde. Maar het was wel moeilijk om door te spelen als Björn een tweede stem improviseerde. Hij maakte het Warja wel eens expres zo moeilijk dat ze niet verder kon en dan barstte hij in lachen uit. Zo was de boerderij weer vol muziek, net als vroeger. Vrouwtje Appelwang genoot en ook Maja, die meestal wat voor zich uit zong of neuriede. Maar een instrument bespeelde ze niet. 'Doen jullie dat maar', zei ze tegen de meisjes, als ze vroegen of zij ook iets kon spelen. 'Muziek maken moet je jong leren', zei ze dan, 'en er moet ook nog iemand luisteren.'

Binnenkort was het zomerfeest in de bergen, in het dorp-

18 Naar de bergen

'Is het huishouden niet vervelend?' vroeg Noesjka toen ze Marit met stapels was zag sjouwen. Eerst moest alles worden gewassen in de tobbe, daarna uitgespoeld in de beek, bij mooi weer op het gras te drogen gelegd en bij slecht weer moest al die zware was naar boven, naar de droogzolder. En dan nog mangelen, strijken, opbergen...

'Nee hoor', antwoordde Marit, 'want dan kun je lekker nadenken.'

'Waar denk je dan aan?' vroeg Noesjka.

'Aan niets', zei Marit.

Hoe kon je nu aan niets denken? Dat begreep Noesjka niet. Ze zag hoe Marit met grote stappen tussen de wasmand en de linnenkast heen en weer liep. In de linnenkast waren indrukwekkende stapels lakens en allerlei linnen, waarvan Noesjka niet wist waar het voor was. Alles van vroeger werd bewaard. Ook wat niet meer werd gebruikt. Om het oude linnengoed waren lintjes gebonden. Zoveel aandacht zou Noesjka liever aan iets anders besteden. Maar ze wist dat Elske graag alles mooi had. En hier op de droogzolder, waar de linnenkast stond die blonk van de boenwas, was het ook prettig. De was geurde naar zon en bloemen en in de kast rook het naar lavendelzakjes.

Noesjka dacht erover na welke mensen hier vroeger op de zolder zo ijverig bezig waren geweest, net als Marit nu. En hoe zouden ze eruit hebben gezien? Marit moest al een paar keer iets gezegd hebben, want opeens hoorde Noesjka: 'Luister je nog of niet?' Verbaasd keek het meisje op. 'Zei je wat?'

'Oh, die kinderen', zei Marit, maar dit keer keek ze er vrolijk bij. 'Weet je dat we al gauw naar onze zomerboerderij in de bergen gaan?'

Noesjka sprong op. Naar de bergen verlangde ze al zo lang, dat ze dacht dat ze er nooit zou komen. Iedere avond voor het slapengaan keek ze naar de vuren van de herders en één keer had ze Marit al net zo verlangend zien kijken. Ze wist dat Daniël daar ergens boven met zijn kudde was. Waar wist je nooit. Herders trekken.

'Wanneer gaan we?' vroeg Noesjka. Zo gelukkig had Noesjka Marit nog nooit zien kijken.

'Morgen', zei Marit.

'Morgen al? Hoe weet je dat?'

'Gisteravond toen je sliep kwam Pjotr met Anna. Pjotr heeft een paar dagen vrij. Ze zijn nu op de boerderij van Anna's ouders en straks komen ze om voor morgen af te spreken.'

Dat moest Noesjka aan Warja vertellen. Zouden ze nu eindelijk de bergen zien en het zomerfeest meemaken, waar alle muzikanten uit de omgeving kwamen spelen? Björn en Jan hadden al gezegd dat ze mochten meedoen, als ze zachtjes speelden.

Toen Noesjka naar Warja ging, bleek Warja al alles te weten. Ze zat bij Elske in de keuken met papa en mama en die waren druk aan het praten over de tocht naar de bergen. Allemaal wilden ze iets anders zeggen. Mama dacht aan dekens en truien en papa wilde niets liever dan echte verhalenvertellers ontmoeten. Warja had haar fluit al ingepakt en Elske dacht aan het eten voor onderweg.

'Maar hoe kunnen we met z'n allen in de kar van Pjotr?' vroeg Noesjka opeens.

'Jacob komt ook, in zijn wagen zitten ook de muzikanten en Vrouwtje Appelwang en jullie mogen met hem mee', zei Elske, 'als jullie willen ten minste. Er is nog plaats.'

'Gaan Maja en Ischa mee?' vroeg Noesjka.

'Ik denk van wel', zei Warja. Elske wist het nog niet. Jacob zou het straks vertellen. Elske, Hans en de jongens zouden thuisblijven. Ze konden niet gemist worden. En zij hadden een zomerfeest in de bergen wel vaker meegemaakt. Blij keken de meisjes elkaar aan. 'Kom je mee?' vroeg Warja. Ze had lang genoeg op een stoel gezeten en wilde naar buiten om met Noesjka te praten over de reis naar de bergen.

Hoe de bergen er van dichtbij uitzagen wisten ze niet. Ze leken hier op de boerderij haast nog even ver weg als in de stad. Ze zagen er altijd anders uit, soms leken ze van fluweel en soms van marmer, dan weer leken ze op grote knikkers, waar net als in marmer aderen doorheenliepen. Hun vriendinnetje Marjanka had wel eens uit reisverhalen voorgelezen die in de bergen speelden. De bergen waren vol gevaren. Er woonden beren en wolven, er vlogen adelaars die zo sterk waren dat ze een lammetje konden roven en ermee wegvlogen of het niets was. Verder kon je in ravijnen en gletscherspleten vallen. Het kon op een zomerdag opeens gaan sneeuwen en dan kon je zo bevriezen en doodgaan. 'Maar er zijn toch ook weiden met koeien en schapen?' zei Noesjka. Ze dachten aan alles wat Björn en Jan over de zomerfeesten hadden verteld, aan de bloemenweiden, de zon, de muziek die overal weerkaatst werd. Ze hadden verteld hoe jong en oud meezong en danste met de muzikanten en dat er gespeeld werd tot zonsopgang. 'Dat waren vast andere bergen dan die van Marjanka', besloten ze.

Die dag wilden ze van alles te weten komen over de bergen. Maar op de boerderij had iedereen het te druk met de voorbereidingen om erover te vertellen. Daarom gingen Noesjka en Warja naar vrouwtje Appelwang. Zij zat op de groene bank voor haar huisje met kleine Ischa op schoot. Ze zong liedjes voor hem. En de donkere ogen van Ischa keken haar aandachtig aan, terwijl hij zijn hoofdje op de

maat van de muziek wiegde en greep met zijn handjes. Noesjka en Warja zochten hun eigen plekje op. Noesjka kroop tegen Vrouwtje Appelwang aan en Warja ging op het stoepje zitten, met haar rug tegen de deurpost.

'Zo, zo', zei Vrouwtje Appelwang en glimlachte naar de twee meisjes, die haar vol verwachting aankeken. 'Vertel het eens.'

'We willen zo graag alles over de bergen weten en niemand heeft tijd', legde Warja uit.

Toen zette Vrouwtje Appelwang Ischa recht op haar schoot en ging er eens goed voor zitten. 'In de bergen is alles anders', begon ze. 'Het is er groter èn kleiner. De stenen zijn groter en de bloemen zijn kleiner. En je komt nergens zomaar, je moet klimmen of dalen. We kunnen morgen een eind met paard en de wagen komen, maar we zullen ook moeten klimmen, want we gaan naar de zomerboerderij en die ligt hoger dan de boerderij van de ouders van Marit. Alles is anders. Het is de wereld van reuzen en dwergen. Soms denk je dat je ze kan zien. Maar dat lijkt natuurlijk maar zo. De koeien en geiten eten van de lekkere bergbloemen, de beken schuimen en als je de lucht inademt is het of je bronwater drinkt. En 's ochtends en 's avonds wordt het koud en is de hemel zo helder, dat het lijkt of je de sterren kunt pakken.'

Ja, zo hoorde het in de bergen te zijn, dacht Warja. 'Zo kleintjes', daar was Björn. Hij noemde hen nooit anders. Voor zo'n grote man moesten ze wel klein zijn. En zij noemden hem Jaja, omdat hij dat altijd zei als hij niets meer wist te zeggen.

'Morgen gaan we spelen', zei hij terwijl hij zich vergenoegd in zijn handen wreef. 'Vergeet je je fluit niet?' zei hij plagend tegen Warja.

'Die is al ingepakt', zei Noesjka.

'Weet je dat het al avond wordt en we morgen heel vroeg weggaan?' Daar stond Maja. Ze was zoals altijd in het rood gekleed. Ze droeg wijde rokken en korte jakjes. En 's avonds als Jan en Björn muziekmaakten, zat zij te borduren. Zoals Jan geschilderd had, zo borduurde zij. Op haar jakjes borduurde ze rozen, langs de randen van de witte keukengordijntjes verschenen bloemenranken en om de schouders van Vrouwtje Appelwang lag een rode wollen omslagdoek waarop haar lievelingsbloemen waren geborduurd: korenbloemen, rozen en margrieten.

'Kom, we moeten gaan', zei Noesjka, die begreep dat Maja vond dat het tijd werd dat ze naar huis gingen.

'Wacht, ik heb iets voor jullie', zei Vrouwtje Appelwang en reikte Maja Ischa aan. Even later kwam ze terug met twee pakjes, voor ieder meisje één. Het grootste pak was voor Noesjka en het kleinste voor Warja. Zo vlug mogelijk maakten ze de pakjes open. In allebei zat een paar bergschoenen.

'Die zijn van mijn jongens geweest, in de bergen kun je niet op klompen lopen.' Vrouwtje Appelwang straalde en alle rimpeltjes in haar gezicht lachten mee. Noesjka en Warja pasten de bergschoenen en keken teleurgesteld. Ze waren veel te groot. 'Je moet er dikke klompensokken in dragen', zei Vrouwtje Appelwang. 'Je zult zien dat je ze nodig hebt. En nu zou ik maar naar huis gaan. Tot morgen!'

'Tot morgen', zeiden Noesjka en Warja en holden naar huis. Het was later dan ze dachten.

'Geloof jij dat van die reuzen en dwergen?' vroeg Warja.

'We zien wel', zei Noesjka, 'we gaan ze in ieder geval zoeken.'

In de boerderij zaten ze al aan tafel. Ze schoven aan en bedachten dat zij nog pakken moesten.

'Een extra stel wollen kleren is genoeg', zei Elske toen ze zag dat de meisjes bezorgd keken. Marit liep te zingen. Ze liep maar heen en weer, alle manden die mee moesten had Marit op een rij in de gang gezet. Ook de matrassen gingen mee, want zoveel bedden waren er niet in de zomerboerderij. Maar de matrassen konden ze pas de volgende dag pakken, ze moesten er eerst nog op slapen.

De volgende dag waren de twee wagens van Pjotr en Jacob al heel vroeg klaar om te vertrekken. Jacob had Vrouwtje Appelwang, Jan en Maja, Ischa en Björn al opgehaald. Nu kwamen Noesjka en Warja er nog bij. Naast Pjotr op de bok zat Anna. Pjotr had haar zo dik met dekens ingepakt dat Anna had gezegd: 'Zo is het wel goed hoor.' In de wagen zaten papa en mama met Emma en kleine Wladja, die nog sliep. Emma had de kleine jongen in zijn dekentje gerold en daarover had mama zijn warme jasje gelegd. Hij merkte niets van wat er in die vroege morgen gebeurde.

De wagens sloegen een onbekende weg in. Het was de weg achter de boerderij die naar het zuiden leidde waar de bergen lagen. Eerst ging die weg door een dennenbos, de weg klom en de stenen aan de kant van de weg leken te groeien. Ook waren er steeds minder bloemen. De bomen werden kleiner, er kwamen struiken, zoals de jeneverbes voor in de plaats. Het mos had hier meer kleur dan in het dal. Er zongen vogels, die de meisjes niet kenden. Het was of Noesjka en Warja in een andere, betoverde wereld waren. En daar zagen ze de bergen.

De bergen waren zo groot dat je er maar een stuk van kon zien. Nu zagen ze drie toppen, die met sneeuw bedekt waren. Hellingen van gruis waar glinsterende riviertjes door liepen bedekten hun wanden. Pas veel lager zagen ze het groen van de weiden.

Pjotr en Jacob hielden hun paarden in. 'De majesteit van de bergen', zei papa zachtjes. Zo werden bergen waarvan de toppen met sneeuw bedekt waren in boeken genoemd. Het was of de bergen koningen waren met kronen van sneeuw. Maja, Noesjka en Warja zagen ze voor het eerst. De bergen waren nog mooier dan ze dachten. De bergtoppen waren net gezichten van reuzen, doorgroefd met ijsspleten en ravijnen. Zouden ze echt zo gevaarlijk kunnen zijn? Toen de wagens stilstonden, merkten ze pas hoe anders het hier rook. De geuren waren hier sterker. De zon stond alweer een eindje aan de hemel en scheen hier warmer dan in het dal. 'Allemaal uitstappen', riepen de koetsiers. Papa droeg kleine Wladja, die nu wakker was en Jan droeg Ischa. Noesjka en Warja waren blij met de bergschoenen. Met sokken erin pasten ze prima. Je kon ermee van de ene kei op de andere springen, tenminste, als de weg niet te steil was. En hij werd steeds steiler en smaller. Bij een bocht in de weg zagen ze in de diepte het dal liggen. De boerderijen beneden waren zo klein, dat je niet kon zien wat de Rozenhoeve en wat de boerderij van Jacob was. Het huisje van Vrouwtje Appelwang was helemaal verdwenen. En hoog boven zich zagen ze andere boerderijen van ongeschilderd hout. Het rook naar hars van kleine dwergsparren en naar water. Langs het pad buitelde een beekje over de stenen. Het was fijn om in de bergen te lopen. Vrouwtje Appelwang liep voorop of ze nooit wat anders deed dan in de bergen lopen, en naast haar liep Björn liedjes te fluiten.

Opeens stonden ze bij een boerderij met een laag dak waarop gras en mos groeide. Het leek net of de muren bedekt waren met schubben van een dennenappel. Alles was van hout. Het was het huis van Marits ouders. Marit was binnen voor ze het wisten en kwam stralend met haar ouders naar buiten. Die keken wat verlegen. Ze dachten dat de mensen van de grote boerderij hun kleine hoeve maar armoedig zouden vinden. Maar Jacob begroette hen als oude vrienden. En nu herkenden de ouders van Marit hem als één van de jongens met wie ze opgegroeid waren en die ook in de bergen had gewoond. Ze wilden iedereen wel binnen vragen, maar dat ging niet. Elske had manden met eten meegegeven en ook de vrouw van boer Jacob had daaraan gedacht. Maar voor ze aan de geruite lakens op de bergweide gingen eten, mochten Noesjka en Warja de boerderij van binnen zien.

Door de kleine raampjes zag je de bergen pas goed en waar je ook was hoorde je het geklater van beekjes. Marit liet de meisjes zien in welke bedstede zij als klein meisje had geslapen. Net als Noesjka had ze 's avonds naar de sterren en de herdersvuren gekeken. Hier had ze met al haar broertjes en zusjes gespeeld. In de donkere keuken hadden ze op banken aan de tafel gegeten en ze waren met zoveel, dat ze het haast nooit koud hadden.

'En nu moeten jullie gaan eten, want jullie moeten nog verder naar de zomerwei', zei Marit, net toen Noesjka en Warja een lappenpop en een houten paardje gevonden hadden. Ze wilden wel eten en naar de zomerweide en het feest, maar hier, waar het overal naar hout rook hadden ze ook wel willen blijven. Maar het feest in de bergen wilden ze niet missen en dus holden ze naar buiten en ploften bij de etensmand neer. Pas toen ze aten, merkten ze dat ze honger hadden. 'Dat komt door de bergen', zei Marit tevreden.

19 De bergweide

Toen de picknick was opgeruimd gingen ze verder. Noesjka en Warja hadden het meest gegeten, maar hoe lekker het ook was, er kwam een moment dat ook zij geen appelbroodje of rozijnenkoek meer zien konden. De wagens werden weer ingespannen. Eerst kwam er een vlak stuk. Als ze wilden mochten ze op de wagen, want de paarden waren uitgerust. Ze hadden in de schaduw van de boerderij gestaan en hun hoofd laten hangen. Toen hadden Pjotr en Jacob ze een zak haver omgehangen waaruit ze langzaam aten. Noesjka en Warja waren van de wagen gesprongen, ze liepen liever en raapten onderweg steentjes op. Misschien vonden ze wel echt bergkristal. Ze holden meer dan ze liepen, omdat ze steeds even stilstonden om te kijken naar een steen of om alpenroosjes en kleine geurende bergbloemen te plukken.

De wagens stopten. Marit had gevraagd of ze konden stilhouden bij het kapelletje. Het was een rond kapelletje zonder torentje. Een zware donkere deur met ijzerbeslag, sloot het kapelletje af. Er zat een grote sleutel in, maar je kon er gewoon in. Marit opende de deur en Noesjka en Warja liepen vlug achter haar aan. Eerst zagen ze niets. Het was donker, aan twee zijden van het altaar was een klein raam en boven het altaar hing een schilderijtje. Marit stak de kaarsen van het altaar aan en toen zagen ze het paneeltje van Maria met haar kindje waarover Marit al vaak verteld had. Ze begrepen nu waarom het kerstverhaal dat Marit hen met kerst verteld had sterrenstof heette; het was of er een fijn laagje gouden stof over het houten paneeltje lag. Marit liep heen en weer of ze thuis was. Ze ververste de bloemen bij het altaar en veegde het kapelletje aan met een bezem die in de hoek achter het altaar stond. Daarna gingen ze om de beurt naar binnen, papa en mama, Jacob en zijn vrouw, vrouwtje Appelwang, Jan en Björn en alle anderen. De ouders van Marit bleven buiten. Zij keken tevreden toe.

Ze waren al dicht bij de zomerweide gekomen. Ver weg hoorden ze de bellen van de koeien. Achter een bergrichel lagen de boerderijen met de zomerweide verscholen. Het laatste steile stuk liepen ze allemaal. Jan had zijn viool gepakt en Björn zijn fluit, en terwijl ze muziek maakten naderden ze de weide. En als in een echo hoorden ze andere muziek, vioolspel en muziek van instrumenten die ze niet kenden. Warja en Noesjka werden steeds nieuwsgieriger. En daar, beschut door de bergen lag de bloeiende zomerweide. De weide was vol mensen en dieren. De herders zaten in groepjes bij de muzikanten en de melkmeisjes liepen af en aan. Aan de rand van de weide lagen enkele boerderijen die op de boerderij van Marit leken, alleen waren de daken nog lager. Op het dak van één van de boerderijen graasde een geitje. Papa en mama bleven even staan. Ze kenden niemand van de bergmensen, maar Marit nam hen mee en vertelde wie er waren. Opeens was ze stil en kleurde ze. Daar was Daniël en ze had hem niet eens gezien. Maar Daniël zag haar wel. Hij pakte haar op of ze een klein meisje was en kuste haar op beide wangen. 'Zo, mijn Marit, ben je daar eindelijk?'

Daniël zag er nog mooier uit dan met Kerstmis. Hij had linten aan zijn zwarte vilten hoed en rijen kant langs zijn mouwen. Hij nam Marits hand in de zijne en keek haar vragend aan. Marit bloosde weer, uit de binnenzak van haar rok haalde ze het doosje waarop de herder en het herderinnetje geschilderd waren. Daniël lachte weer: 'Je mag hem wel dragen hoor', zei hij. Hij opende het doosje en deed de fijne zilveren ring aan haar hand.

Gelukkig waren de anderen doorgelopen. Boer Jacob wilde de houtstapel laten zien die de herders voor het kampvuur aan het maken waren. Ze deden allemaal of ze Marit vergeten waren. Allemaal, behalve Warja, die wilde niets missen! Ze zag hoe Daniël Marit nog eens zoende. 'Kom Marit, ik zal je mijn koeien laten zien', zei hij, 'we hebben kleine kalfjes, één is net geboren.' Hij sloeg zijn arm om haar middel en nam haar mee naar zijn kudde. En Warja holde naar Noesjka om alles te vertellen.

'Kom je?' zei Noesjka tegen Warja. Ze wilde de bergen wel eens van dichtbij zien. Hier op de weide was alles zo vlak en vol bloemen dat het bijna leek of ze nog beneden op de boerderij waren. Maar nu wilden ze echte bergstenen en bergwezens zien. Achter de grote rotsblokken achter de lage zomerboerderijen moest de wildernis toch beginnen. Daar lagen enorme rotsblokken kriskras door elkaar. Hoog boven hun hoofd zagen ze grote vogels cirkelen. Waren dat de arenden die kleine dieren en misschien zelfs kinderen in hun klauwen meenamen tot hoog in de lucht boven de wolken?

Ze kwamen bij de grote stenen aan de rand van de weide. Het leek wel of reuzen de stenen zo op een hoop hadden gegooid. Noesjka en Warja moesten er overheen klimmen om in het echte bergland te komen. Dat ging niet gemakkelijk; ze gleden steeds terug. Maar opeens viel Noesjka en slaakte een kreet. Ze was gevallen en in een donkere ruimte beland. Om haar heen was een muur van steen. Noesjka voelde dat ze op een bodem van mos en gruis was gevallen. Ze voelde met haar handen, stootte tegen een steen en raapte die op. Even later stond Warja naast haar. Die was naar beneden gegleden. Ze keken om zich heen en zagen niet veel meer dan die donkere stenen.

'Hoe komen we hier weg?' fluisterde Warja. Ze had

Noesjka's hand stevig vastgepakt. Wat had Marjanka ook alweer gezegd? In de bergen waren gletscherspleten waar je in kon vallen en je kon zomaar doodvriezen op klaarlichte dag. Ze geloofde het graag. Noesjka wees aarzelend. Ze hield de steen die ze had opgeraapt net zo stevig vast als de hand van Warja. Hun ogen waren intussen zo aan de duisternis gewend dat ze konden zien hoe licht door een spleet in een steen viel. En daarnaast groeiden twee dwergsparren. Zouden ze die opzij kunnen buigen en zo een uitweg vinden? Ze probeerden het, en gelukkig, de takken waren buigzaam en ze konden uit de donkere ruimte kruipen.

Opgelucht en knipperend met hun ogen tegen het zonlicht, liepen ze weer terug naar de bergwei. Ze hoorden dat de muziekinstrumenten gestemd werden. Bij de kring speelmannen stonden Jan en Björn. Vlug holden de meisjes naar hun toe. 'We zeggen niet wat er gebeurd is, hoor!' zei Noesjka nog gauw tegen Warja.

Jan en Björn hadden hen niet eens gemist!

'Komen jullie?' Jan had de viool van Noesjka uitgepakt en Björn gaf Warja haar fluit. Zij hadden alle instrumenten bij elkaar in een kist meegenomen. Jan en Björn gingen tegenover elkaar staan en begonnen te spelen. Weldra vormde zich een grote groep mensen om hen heen. De meisjes en jonge vrouwen hadden bloemen opgespeld en heel kleine kinderen droegen bloemenkransen in hun haar. Ook de dieren waren voor het feest met bloemen getooid. De mooiste koeien droegen bloemenkransen tussen hun horens. Bij de geitjes lukte dat niet, die sprongen te veel in het rond.

Noesjka stond achter Jan te spelen en Warja speelde naast Björn. Dat hadden ze afgesproken. En het ging! Thuis hadden ze geoefend en ze hadden ook de volgorde van de liedjes afgesproken. Er waren er bij die de mensen mee konden zingen. En er werd ook bij gedanst. Emma danste mee.

Mama had kleine Wladja op de arm genomen en ze lachte
toen ze zag hoe vlug Emma ronddraaide. Je werd duizelig
als je ernaar keek. Ze danste veel te vlug voor de boeren-
jongens.

De boerenmeisjes zorgden ervoor dat hun rokken goed
uitwaaierden. Langzaam viel de avond. De herders en de
melkmeisjes roosterden vlees boven de vuren en in stenen
ovens werd brood gebakken. Op lange tafels werden schalen met kaas en potten vruchtengelei uitgestald. Het was
het beste wat ze hadden.

Nu het donkerder werd en de sterren verschenen, hielden
de paren op met dansen. De muzikanten speelden door terwijl de volwassenen een plekje zochten aan een van de
lange tafels. De kinderen gingen bij het hout zitten dat nog
aangestoken moest worden. Noesjka en Warja speelden nog
steeds met Jan en Björn mee. De muziek klonk hier heel
anders dan in de houtschuur. En de lucht werd niet donkerder zoals thuis of op de boerderij. Hier werd de lucht

boven de bergen roze en oranje en de bergen zelf gloeiden rood in het avondlicht.

Maar ten slotte werden Noesjka en Warja ook moe van het spelen en gingen ze bij de andere kinderen zitten. De volwassenen kwamen er ook bij. De moeders namen dekens mee. Door alle muziek hadden de kinderen niet gemerkt dat het koud werd. Het werd tijd voor het vuur. Daniël stak de houtstapel met een fakkel aan. Marit stond erbij te kijken. Mama keek naar het gelukkige gezicht van Marit. Ze was blij dat ze Daniël weer gevonden had. Mama had altijd wel geweten dat ze heimwee had, naar de bergen en Daniël.

Net nog was het koud en donker en nu al verspreidde het vuur een heerlijke warmte en een geur van hars en hout. Er vielen wonderlijke schaduwen over de gezichten van de mensen. De bergen kon je niet meer zien, alleen op de toppen waar sneeuw lag, gloeide het laatste zonlicht na.

Opeens schoot een vlam uit het vuur omhoog. De houtstapel stortte in. Het gaf zo'n lawaai, dat de dieren onrustig werden, snoven en met hun hoeven stampten. Terwijl de herders ze tot rust probeerden te brengen, kwam er een windvlaag die het vuur aanwakkerde. Weer schoot er een vlam uit het vuur, nog hoger dan die van daarnet. Alle gezichten waren even heel helder verlicht. Over de grond en de bomen bewogen lange schaduwen die ieder ogenblik van vorm veranderden. Het ene ogenblik was het donker, het andere moest je je ogen dichtknijpen tegen het felle licht van het vuur.

'Het is net of een reus in het vuur blaast', zei Warja.

'Waar dan?' vroeg Noesjka.

Er kwam een reusachtige schaduw recht op het vuur af. Het was de schaduw van een grote donkere man. Hij droeg net als de herders een zwarte hoed en een wijde mantel. Noesjka kneep in de hand van Warja.

'De verhalenverteller', hoorden Noesjka en Warja. Nu

waren ze echt even bang geweest. Noesjka's hand deed nog pijn. Ze had de steen haast fijngeknepen.

De verhalenverteller. Zó zag een verhalenverteller er dus uit. Ze kon hem nu goed zien. Er viel een rosse gloed over zijn gezicht, dat breed en open was. Toen begon hij zijn verhaal.

Alle kinderen gingen zo dicht mogelijk bij hem zitten. Ze wilden niets van zijn verhaal missen. Zijn stem klonk ver door in de nacht.

20 Van zomer en winter

'Vroeger, dat weten jullie misschien wel', begon de herder,
'konden de dieren praten. Mensen en dieren verstonden
elkaar. Maar dat is lang geleden. Nu gebeurt dat nog maar
één keer per jaar, in de kortste nacht. Maar dan ontmoeten
de dieren elkaar op open plaatsen in het bos, ver van de
mensen vandaan. In die nacht zal geen enkel dier een ander
dier kwaad doen. Een vos zal geen vogels doodbijten en ook
de beer zal geen vlieg kwaad doen. En ook al is het winter,
toch zingen alle vogels. De bomen staan die nacht in bloei
en dragen vruchten, net als in het paradijs.

Er daalt een weldadige rust neer op aarde en het is zo stil
dat je de planten onder de sneeuw kunt horen ademen. Eén
bloem bloeit zelfs in de sneeuw, dat is de kerstroos. Met zijn
schijnsel verlicht hij het pad voor de herten en andere dieren van het bos. De sterren zijn groter dan in andere nach-
ten en als ze verschijnen, lijkt het of de dag aanbreekt. Niet
alleen de dieren komen bij elkaar, ook de Groene Man keert
terug boven de aarde. Hij zorgt voor de wortels van de
bomen en planten onder de grond. Vroeger leefde hij boven
de grond, de mensen noemden hem de bosgeest. Hij draagt
een krans van bladeren om zijn hoofd. Omdat hij schuw is
geworden leeft hij bijna het hele jaar door onder de grond
in zijn donkere rijk van stilte, behalve in de kortste nacht.
Dan luistert hij naar de verhalen van de dieren en neemt
altijd één kostbaar zaadje van het geluksplantje mee.

Eens gaf de Groene Man het zaadje aan een kleine vogel.
Dat ging zo. De Groene Man liep over de aarde en voelde de
kou niet. Toen hij bij een appelboom vol bloesem en appels

aankwam zag hij tussen alle kwetterende vogels een kleine grauwe vogel, helemaal weggedoken. De vogels vertelden elkaar hoeveel jongen zij hadden grootgebracht en hoever ze waren gevlogen, maar de kleine vogel zei niets. De Groene Man wenkte de vogel en reikte hem het zaadje aan. Wat schuw maar snel kwam de vogel naar hem toe, pikte het zaadje op en weg was hij weer.

De Groene Man glimlachte en vervolgde zijn tocht langs de dieren die hij zo goed kende. Hij genoot ervan de vachten van de kleine herten te zien glanzen. Hij streelde de beer, die geen aanhankelijkheid gewend was, over de rug. Hij liep langs de hazenkring, zag de egelfamilie met de kleine egelbolletjes. Het waren net wandelende speldenkussens. De Groene Man hield van alle dieren.

Toen de morgen aanbrak verdween de Groene Man weer naar zijn onderaardse rijk, naar zijn troonzaal waar vuurvliegjes en lieveheersbeestjes boodschapper zijn in de wirwar van wortels, stammen en onderaardse stromen.

Toen het lente werd probeerde de kleine grauwe vogel, die het gelukszaadje had gekregen, te zingen. Maar het klonk schor. Hij oefende door toonladders te zingen. Elke dag ging het iets beter. De kleine vogel deed vreselijk zijn best. Hij hield zijn kopje naar achteren als hij floot. Het leek net of je zijn hartje in zijn keel zag kloppen.

Op de langste dag van het jaar, zo omstreeks deze tijd, zong de kleine grauwe vogel mooier dan alle andere vogels bij elkaar. Het klonk niet meer schor of onzeker. En de Groene Man, die van achter een reusachtige eik meeluisterde, glimlachte. Iedereen die het lied van deze vogel hoorde, vergat zijn zorgen. De Groene Man, die alle vogels en dieren een naam heeft gegeven, noemde de kleine vogel 'Nachtegaal'. En nog steeds zingt hij zijn lied voor wie het maar horen wil. Maar bijna niemand krijgt hem te zien, want hij is nog net zo schuw als in die nacht dat hij het

gelukszaadje kreeg. En zelfs hier in de bergen kunnen we zijn zang horen. Luister maar goed, in het voorjaar oefent hij, want hij kan niet vanzelf zo mooi zingen. Zelfs niet met het gelukszaadje.'

Het was bijna donker toen het verhaal uit was. De jonge herders rakelden het smeulende vuur weer op, zodat iedereen elkaar weer kon zien. Wat keken ze allemaal slaperig! Verhalen maken je slaperig, vooral als ze verteld worden in een zomernacht vol sterren. Alle mensen dachten aan de Groene Man en zijn gelukszaadje. De kinderen hadden die Groene man graag gezien en ze vroegen zich af hoe dat paleis er onder de grond uitzag.

'Wat heb je daar?' vroeg Vrouwtje Appelwang ineens aan Noesjka.

Noesjka speelde met de steen die ze had gevonden.

'O, gewoon, een steen.'

'Gewoon?' zei Vrouwtje Appelwang. 'Kijk eens goed.'

Noesjka zag niets bijzonders.

'Het is een groot stuk bergkristal! Waar heb je dat gevonden?'

'Gewoon, bij de reuzen', zei Warja en lachte tevreden. Noesjka hield haar reuzensteen voor zich. Door het kristal zag ze de gloed van het vuur. Er stroomde een blij gevoel door haar heen.

'Mag ik hem even vasthouden?' vroeg Warja. En dat mocht.

Noesjka wilde dat het altijd zomer bleef.

'Waarom moet het winter worden als het zo heerlijk is in de zomer?' vroeg ze aan Vrouwtje Appelwang.

'Hoe kan het anders Kerstmis worden?' antwoordde Vrouwtje Appelwang en ze aaide Noesjka over haar gebruinde gezicht.

Dat was waar, en Noesjka dacht weer aan die kortste nacht, hoe het zou zijn als alle dieren vrij door elkaar liepen en de kerstroos het bospad verlichtte.